「シナリオ教室」シリーズ

ミステリーの書き方

シナリオから小説まで、
いきなりコツがつかめる
17のレッスン

柏田道夫 著

言視舎

はじめに

「わたしの名前はミシェル・イゾラ。
歳は二十歳。
わたしが語るのは、殺人事件の物語です。
わたしはその事件の探偵です。
そして証人です。
また被害者です。
さらには犯人です。
わたしは四人全部なのです。いったいわたしは何者でしょう？」

これはフランスのミステリー作家**セバスチアン・ジャプリゾ**『**シンデレラの罠**』の1962年度版のキャッチです。近年再販された平岡敦訳版の新装版は少し違って、有名なこのキャッチは、解説で紹介されています。

一人四役という設定があり得るのか？　私は大学生で、古今東西の名作とされるミステリー、推理小説を読み漁っていた頃に出会ったのですが、この惹句に見事に騙されました。読み終わって、「なるほど、そうか！」という驚嘆と、「こんなのありか！」と怒りが半々だったことを覚えています。

考えてみると、その後もいろんなミステリーを読んだり、映画を追いかけて観ては、こうしたどっちかの感想だったりして、前半要素が勝っていると当たりで、後半が多いと外れとなります。でも後ろの場合であっても、きれいに感心させてくれたらＯＫ。

というように、ミステリー小説やら映画やらを楽しみ続けて、いつしか小説や脚本を書くようになりました。「オール讀物」の推理小説新人賞（今は歴史時代小説新人賞になってしまった！）を頂戴したことで、日本推理作家協会々員の末席に加えていただいたのですが、錚々たる売れっ子ミステリー作家さんたちの作品を読む度に「なるほど、そうか！」や「こんなのありか！」の両方で、でも怒りではなく感心しきり。なんとミステリーの奥の深いことかと痛感するはめに。

新しいトリックだったり、スタイルだったり、手法やらを駆使して、ギガーの『エイリアン』みたいに変貌するミステリーをもう一度きちんと分析すべきだ、と思うようになったのは数年前。

というのは、私はもうひとつ、シナリオ・センターという脚本家（最近は小説家志望者も多い）を養成するスクールの講師もやっていて、シナリオの書き方や、映画（脚本）の構造分析とかがそれなりに得意です。

ということでミステリーだって、まあやれるだろうと着手したのですが、これがまあとんでもないことと分かって、さらに改めて奥深さどころか、エベレストを仰ぎ見るような気分になりました。

それといわゆる「ミステリーの書き方」本も、まさに山のように出ていて、どれを読んでも「なるほど」と頷くばかり。いまさら私ごときが書いてもなあ、と頭を抱えたり。

ただ、そうした多くの指南本は、それなりにミステリーを知っている人とかにはすんなりと受け入れられる内容だったりするのですが、まったくのビギナーとかには難しいかもしれない。

そもそものミステリーの定義とか、イロハ的なことから入る指南本はほとんどなかった気がするし、広義にミステリーといっても、ジャンルは細分化されます。それぞれのジャンルの違いとか基本、特徴まで解説した本もあまりありません。

ジャプリゾの『シンデレラの罠』のように、探偵、犯人、被害者、証人さらには、目撃者（読者、観客）といった面から切り口を変えたり、あれこれ混ぜたりすると、誰も書いていない新作の手がかりになるかもしれない。それぞれの〝点〟を照らすことで、皆さんだけの〝線〟が描けるかもしれません。

だったら、ということでこの指南書が誕生しました。

結局、最高峰のエベレストというよりも、ミステリー山脈として連なる嶺々の一部だけを眺めるはめになった気がします。「あれについて述べていない」とか、「あの名作が漏れているじゃないか」といったご不満がおありなのは承知しています。

でもまあ、ミステリー小説と映画を愛する人、これから作る側になりたいと望む人の少しでも参考になれば幸いです。

「いつになったら出る？」というお声も耳に届いていました。それやこれやで刊行が遅れに遅れましたことも、心よりお詫びします。

ともあれ、ミステリー（入門）講座のレッスンを始めます。

ミステリーの書き方　目次

レッスン1　基本知識としての「ミステリー」とは？

レッスン2　さらに「ミステリー」をジャンルで分ける

レッスン3　物語の5つの型からミステリーの構造を作る

レッスン4　基本型の本格推理ものを推理してみる

レッスン5　名探偵の作り方

レッスン6　刑事もの、警察ものの作り方

レッスン7　スパイになるための必要事項

レッスン8　大逆転無罪を勝ち取れ！が法廷ものの醍醐味

レッスン9　シロウト探偵は逃亡者になる？

レッスン10　生卵はどうすればハードボイルドになる？

レッスン11 盗みこそ我らが命、ケイパーものはドキドキだ！

レッスン12 アウトローとファムファタール、どっちが悪だ!?

レッスン13　サスペンスとホラーの境目はどこだ？

レッスン14　恋の味つけで「ラブサスペンス」は盛り上がる

レッスン15　テイストの違いで「ユーモアミステリー」になる

レッスン16　専門ミステリーを書くための心得と取材の方法

レッスン17　もろもろ、ミステリーについて知っておくべきこと。まとめです

LESSON 1

基本知識としての「ミステリー」とは?

「サスペンス」「スリラー」「ホラー」との違いは?

「ミステリー」って何?

さて、そもそもの「ミステリー」について。どういう意味なり、使われ方をしているのか?

個々のジャンル、作品の分析をする前に、まず「ミステリー」について理解をしておく必要があるでしょう。

おおざっぱに「ミステリー」とジャンル分けしてしまい、巷や出版業界、放送業界、映画産業、ゲーム、ネット関係など、ひっくるめて使われているのが現状ですが、境目なり定義としてはあいまいなままです。

同類ジャンルとしては「サスペンス」や「スリラー」「推理もの」「ホラー」といった命名もあってややこしい。

実際これらの線引きは厳密ではなく、どちらかにふり分けるのも可能だったり、複合的に混じりあっていたりすることもあるわけです。トータルな定義として「ミステリー」とくくられていますが、

ともかく「ミステリー」ですが、**広辞苑**を引くと、

ミステリー**【mystery】**①神秘。不思議。霊妙。②聖史劇。③推理小説。

な、なんなんだ、②の〝聖史劇〟って?

コンサイス三省堂外来語辞典では、

ミステリー［mystery〈ギ myein 目を閉じる］①神秘、不思議、説明や解決のできそうもないなぞ、〈明〉②《キリスト教》神秘的教義、秘跡宗教劇、〈明〉③

推理・秘密・恐怖小説（映画、ドラマなど、〈現〉）

とやや詳しい。〝ギ〟はギリシャ語の意です（そうか語源は〝目を閉じる〟だったんですね）。〈明〉は中国の昔の国とは関係なく、明治時代以降ということで、キリスト教で使われていたという意味でゆえに〝聖史劇〟が残っていたわけです。〈現〉は戦後以降に使われるようになったということ。

「スリラー」は死語？

ついでにややこしい「サスペンス」や「スリラー」「ホラー」はどのように定義されているか？

・広辞苑

サスペンス【suspense】小説・映画などで、物語中の危機が、読者・観客に感じさせる不安・懸念・緊張感。

スリラー【thriller】小説・演劇・映画などで、人にスリルを感じさせるような作品。

スリル【thrill】さし迫る危険の中に感ずる楽しさ。ひやひやする気持。ぞっとする感じ。「冒険小説で――を味わう」「――満点」

ホラー【horror】（恐怖の意）怪奇な趣向で恐怖を感じさせることを狙った娯楽作品。「――映画」

・コンサイス外来語辞典

サスペンス［suspense（不安、気がかり）〈ラ suspendere（宙ぶらりんにする）〉］緊張感、小説・映画などで、読者・観客をひきつけるために作品に盛り込む不安・懸念の情〈昭〉

サスペンス・ドラマ［suspense drama］心理的緊張感を中心とする劇〈現〉

スリラー［thriller（ぞっとさせるもの）］映画・小説などで、観客・読者をぞっとさせる作品、恐怖も

の

スリル［thrill〈古英 thyrlian（貫通する）〉］ぞっとする感じ、はらはらする感じ、戦慄《りつ》、ぞくぞくするような恐怖や快感〈昭〉

ホラー（記述なし）

なるほどニュアンスの違いがわかるような気がしますね。

ちなみに、ミステリーやサスペンス、ホラーという用語は現役で使われていますが、スリラーは死語になりつつあるようです。スリラーというと、サスペンスやホラーとどう違うのかが、説明しにくいからでしょうか。

ヒッチコックはスリラー

これに関連して、1987年に出された田山力哉著『映画小事典』（ダヴィッド社）には、「ミステリー」や「サスペンス」の項目はなく、「スリラー」の項目で一括して説明されています。かなりの文量なので全文の引用は避けますが、こうしたジャンルのとらえ方を理解する記述になっていますので、一部ご紹介しましょう。

スリラー Thriller スリルで観客を不安や恐怖におとし入れ、ドキドキ、ハラハラさせる映画で、アルフレッド・ヒッチコック作品などはその代表的な例である。（中略）

以下『断崖』のシーンを例として詳しく書かれていて、

観客はジョン・フォンテイン扮する妻と一体化し、いつ殺されるかとハラハラ、ドキドキするという仕掛けである。これが典型的なスリラーであり、それを支えているのはサスペンスである。

サスペンスは英語で、未定の状態、中ぶらりんなこと、あやふやなこと、不安、気がかり——というような意味があり、ドラマの進行がどうなるか分からず、不安な気持におち入る状態が映画におけるサスペンスである。これはミステリー、心理ドラマ、アクション、メロドラマ、そのどれにも存在し得るものであるが、とりわけスリラー映画においては不可欠な要素である。（中略）

この後、**ヒッチコック**の数本の映画解説や、フランスのヌーヴェル・ヴァーグの監督たちのスリラー映画、さらに〝映画史上に残る名作『**第三の男**』〟などを例に解説されていて、最後がこう締められています。

『断崖』のポスター 1941 年
出典：ウィキメディア・コモンズ

日本映画にスリラー映画が育たないのは、そういう土壌がないのであろうか。いずれにせよ細かい計算がない限り、感覚だけでスリラーは作れるものではない。最近は、ＳＦ、パニック、ホラー、オカルトなど、大味でこけおどしの超大作ばかりがふえているのは、やはり時代であろうか。

日本映画（小説やドラマなどでも）に、スリラーの代表作が育っていないという論議はともかく、「スリラー」が死語がなりつつある現状では、あまりこれに固執する必要もないでしょう。観客をドキドキさせ、謎や秘密の解明で引っ張る上質な「ミステリー」作品が生み出されればいいのです。

ともあれ、「ミステリー」の定義としては、〝謎〟や〝秘密〟があって、それが物語を引っ張る構造の映画やドラマ、小説という意味です。

おおざっぱにくくられる「ミステリー」の意味が、おわかりいただけたでしょうか？

LESSON 2

さらに「ミステリー」をジャンルで分ける

どのジャンルを書くか整理しておこう

多種多様なミステリージャンル

〝謎〟が物語を引っ張る作品を「ミステリー」と称したわけですが、さらに描いている世界、内容、職業、タッチ、謎の配分（多い少ない）などによって、細かくジャンル分けがされます。左図が大まかな分類とその名称です。

①**推理もの**（本格推理→新本格）
②**探偵もの**
③**警察もの**（刑事もの・ポリスアクション）
④**スパイもの**
⑤**ハードボイルド**（ノワールもの）
⑥**冒険もの**（アクション）
⑦**法廷ミステリー**（裁判劇もの）
⑧**医療ミステリー**
⑨**トラベルミステリー**
⑩**学園ミステリー**（青春ミステリー・放課後ミステリー）
⑪**社会派ミステリー**
⑫**コージーミステリー**（ユーモアミステリー）
⑬**コンゲーム**（詐欺師もの）
⑭**悪女もの**（ファムファタール）**↔悪漢小説**（ピカレスクもの）
⑮**強奪もの**（ケイパーもの）
⑯**山岳ミステリー・海洋ミステリー**
⑰**サイコサスペンス**（猟奇もの）
⑱**心理サスペンス**
⑲**ホラー**（ゴシックもの・怪談・怪奇もの）
⑳**時代ミステリー**（捕物帳・歴史ミステリー）

と書き出しながらも、これでいいのか？　あれとこれを一緒にしたり、あれが入っていないなどふらふらします。漏れや異論などあるかもしれませんが、あくまでも私なりのジャンル分けとお許し下さい。

コロンボは倒叙推理もの

当然のように、いくつかのジャンルにまたがっている作品もあります。例えば『**刑事コロンボ**』は、主人公のコロンボは刑事（警察官）ですので、「警察もの」といえなくもないのですが、たまたま探偵役であるコロンボが犯罪現場に赴く刑事とされているだけであって、やはり「推理もの」に入れたほうがおさまりがいいでしょう。

それも『刑事コロンボ』は、犯罪者そのものの犯行を先に見せておいて、その手法なりトリックを暴いていく手法をとっています。そうした形式が「倒叙型」「倒叙ミステリー」です。コロンボを下敷きとしているものには『**古畑任三郎**』や『**福家警部補**』などたくさんあります。

こうした**手法や設定**（シチュエーション）**での名称**もあります。例えば、

（1）**倒叙ミステリー**
（2）**安楽椅子探偵もの**（アームチェアディテクティヴ）
（3）**密室もの**
（4）**アリバイくずし**

改めて解説の必要もないでしょうが、（2）の安楽椅子探偵ものは、探偵その人が現場に赴かず、誰かの報告で推理してしまうというミステリーの手法です。

最近ではベストセラーとなった『**謎解きはディナーのあとで**』はこれ。

ジェフリー・ディーバー原作の『**ボーン・コレクター**』から始まるリンカーン・ライムシリーズも、半身不随の科学捜査官のライムが、相棒の警官アメリアが調べてきた情報から推理していく安楽椅子探偵ものです。

このライムシリーズはハラハラドキドキさせる場面

も多く、サスペンスでもあるわけです。

ジャンルまたぎということでは、例えば恋愛ものでありながら、そこに推理やサスペンス要素が加わると、「ラブミステリー」「ラブサスペンス」になったりします。

すべてはポーからはじまる

もう少し解説しておくと、②の「探偵小説（もの）」という言い方も、かなり死語になりつつあります。だからといってこのジャンルが消えたわけではありません。

「探偵もの」や「推理もの」を語るには、そもそもの小説の歴史について触れておく必要があるでしょう。

超ダイジェストで解説すると、「推理小説」というジャンルの嚆矢となったのは、1841年の**エドガー・アラン・ポー『モルグ街の殺人』**で、これが最初の「探偵小説」と位置づけられています。

これより以前に源流として大衆に親しまれていたジャンルが、ピカレスク小説（悪漢譚）と、妖しい城や館で展開するゴシック小説（恐怖）でした。

こうした流れから20世紀初頭に**コナン・ドイル**の**シャーロック・ホームズ**に代表される「探偵小説」「推理小説」が全盛となります。**アガサ・クリスティ**や**ヴァン・ダイン**、**エラリー・クイーン**、**ディクスン・カー**といった作家による推理小説が出て、これらを総称するのが「本格推理」でした。

同じ頃にアメリカでは**ダシール・ハメット**や**レイモンド・チャンドラー**らによるハードボイルドが出ます。ノワールというとフランスで主に書かれた、犯罪者側から書かれた暗黒小説をさします。

これらのタッチが硬派なのに対して、コメディタッチで書かれたものが「コージー」や「ユーモアミステリー」です。

日本ではこうした欧米の作家に影響を受けて、**江戸川乱歩**や**横溝正史**に代表される「探偵小説」「本格推理」が人気を博します。**明智小五郎**や**金田一耕助**は彼らが生み出した名探偵で、謎を解明していきました。

「探偵」を殺害した？　清張社会派ミステリー

ところが戦後になって**松本清張**がこうした探偵ものを否定して、リアルな人間ドラマを重視したヒューマンミステリー、社会派ミステリーの時代を作り、それまでの本格推理が事実上抹殺されてしまいました。

この動きを憂いて、新たに現れた書き手による推理ものが「新本格」です。「密室殺人もの」や「孤島ミステリー」などは、トリックのおもしろさを復活させて、新しいジャンルとしてファンを獲得しています。

職業によるジャンル分けもここであげたのは代表例です。「法廷もの」と称しましたが、本来は裁判でのかけひきで二転三転してというジャンルです。これも広義では、弁護士や検事、裁判官が主人公で事件を調べていくというスタイルも含んでいます。

医療ミステリーは、主に医者が患者の死や病気の原因を解いていく、医療現場を舞台にした作品です。テレビドラマで顕著ですが、法医学や鑑識、火災調査の専門家が主人公となるミステリーも多数。

ちなみにテレビの2時間ドラマなどでは特に、こうした職業別だったり素人探偵が事件に遭遇して、というパターンをあげているときりがありません。家政婦、タクシードライバー、万引きGメン、温泉おかみなどなど。

内田康夫原作の**浅見光彦**の職業はフリーのルポライター。主に旅ものを書いていて事件に遭遇して解決していく。素人探偵ですが「探偵もの」「推理もの」に入りますし、「トラベルミステリー」でもあります。

ミステリーの新参者ホラー

この中でも、「ホラー」は近年ミステリーの仲間入りをしたといっていいでしょう。そもそもの「怪談」「怪異譚」、さらには現実とはかけ離れた夢物語である「ファンタジー」などは物語の原点ともいえます。

神話は皆ファンタジーですし、人類が言語を得て、ストーリーテラーという語り部が人々に披露した物語は、不思議な話、死と霊の物語がメインであったはずです。

日本の古典芸能である能は、すべてが人と霊との物語といっても過言ではありません。

怪談は江戸時代でも親しまれたジャンルですが、怖い霊が人を脅かす物語であったり、解明できない超常現象だったりしますので、本来の謎が解明される推理もの、ミステリーとは別のジャンルとされてきました。

それを示す有名な逸話があります。一大ブームとなった**鈴木光司**原作の『**リング**』は、当初「横溝正史ミステリ大賞」に応募され、最有力とされましたが、「ホラー小説であってミステリーでない」という選考委員の意見で落選とされました。当時はまだ「ホラー大賞」のようなコンクールはありませんでした。

余談ですが、この『リング』の落選は作者に幸運をもたらします。「横溝正史賞」で入選していたら、映像化権が主催の出版社のものとなったのですが、落選によって作者に権利が戻りました。以後のハリウッド映画にまでなる『リング』シリーズの映像化権で、作者の鈴木さんは莫大な利益を得たのです。まさに〝禍福はあざなえる縄のごとし〟で、ミステリーのような大ドンデン劇です。

こうしたミステリーのそれぞれの特徴なり物語構造については、以後できるだけ実例をあげながら分析していきます。

アプローチで違う分け方

もうひとつ、**謎（真相）へのアプローチ法による分け方**がありますのでご紹介しておきましょう。

（a）フーダニット（who'd done it）**誰がやった（犯人）か？**

（b）ハウダニット（how'd done it）**いかにやったか？**

（c）ホワイダニット（why'd done it）**なぜやったか？**

フーダニットは一番オーソドックスな真犯人探しです。探偵役が手がかりをもとに事件を解明していき、犯人をあぶり出していく。

ハウダニットは犯行のプロセスを解明していく手法。前述した「倒叙型」はこれに該当します。倒叙型の場合は、犯行の手口を最初に見せてしまうので、探偵はそうしたプロセスを辿りながら、犯人のミスであったり矛盾点を発見していく。

ホワイダニットは、犯人の動機から事件の真相に迫っていく。もちろん、ひとつだけではなく、これらを複合的にからませていきます。特に、三番目のホワイダニットは、現代のミステリーでは無視できない要素になっています。

「サイコサスペンス」であっても、殺人にいたる理由や人格的な動機を詰めないと、読者がついてきてくれません。

「推理小説」のさきがけポーの『モルグ街の殺人』より。船乗りに殺害者のことを聞きただすデュパン。バイアム・ショウによる挿絵、1909年。出典：ウィキメディア・コモンズ

というように、一言で「ミステリー」といってもその分類や歴史は多種多様、考え方も人によって違ったりしますが、こうした基礎知識とその代表的な作品群を把握したうえで、自分の書きたいもの、好きなジャンル、アプローチ法が見つかれば幸いです。

次章以降で、代表的なジャンルや特徴をさらに詳しく述べていきます。

LESSON 3

物語の5つの型からミステリーの構造を作る

5つの基本型を組み合わせると物語プロットができる

物語を内枠と大枠で考える

どういう物語（ミステリー）を書くか？　と考える（発想のとっかかりを得る）のは、その人によって違うでしょう。

それはそうとして、**物語の基本型**というのがあって、日本では**【起承転結】**だったり、アメリカ映画だと**【ハリウッド三幕方式】**といったものです。

ともかく物語の始まり**【発端】**があって、主人公をはじめとする主要人物が登場して、途中の**【展開】**部があって、**【クライマックス】**で盛り上がりなり、発端で提示された案件の解決がされて、**【結末】**を示されて物語が終わる。

この構造も当然、その物語をどのくらいの長さで書くかで違ってきますが、図1を見てください。

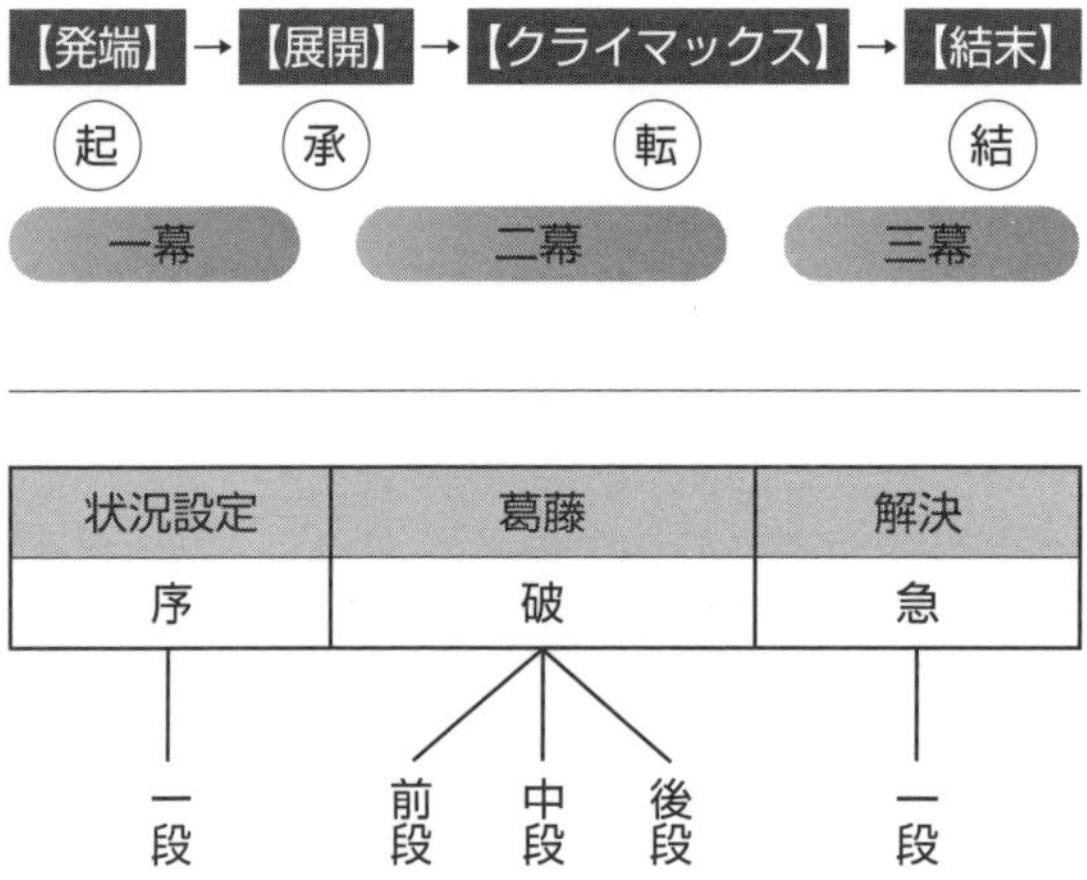

図1

これが物語上での内側、中身の運び（プロット）だとすると、物語のそもそもの、いわば外側の物語の枠、カタチというのがあると思います。それを理解した上で、まず大枠を決めることが発想のとっかかりとなると同時に、物語の構造を決める土台になります（図1）。

　これをベースにすることで、物語の設定、方向性が見えてきますので、そもそものアイデアを固めることができるのです。

　それがベースとなる物語の型（フォーマット）で、（あくまでも私なりの分類ですが）**5つに分けられます**。この5つのベースと、そのいくつかの融合で大枠が作られます。

①ロードムービー型（旅もの）
②グランドホテル型（空間限定もの）
③バディ型（相棒もの）
④サクセスストーリー
⑤巻き込まれ型

　これだけです。

①物語はすべて「旅もの」

　簡単に解説をします。まず**①の「ロードムービー型」**はいわゆる旅ものです。

　一番のシンプルな物語はこの「旅もの」と言われています。主人公がいて、何らかの理由や動機によって、目的地を目指して旅を始める。

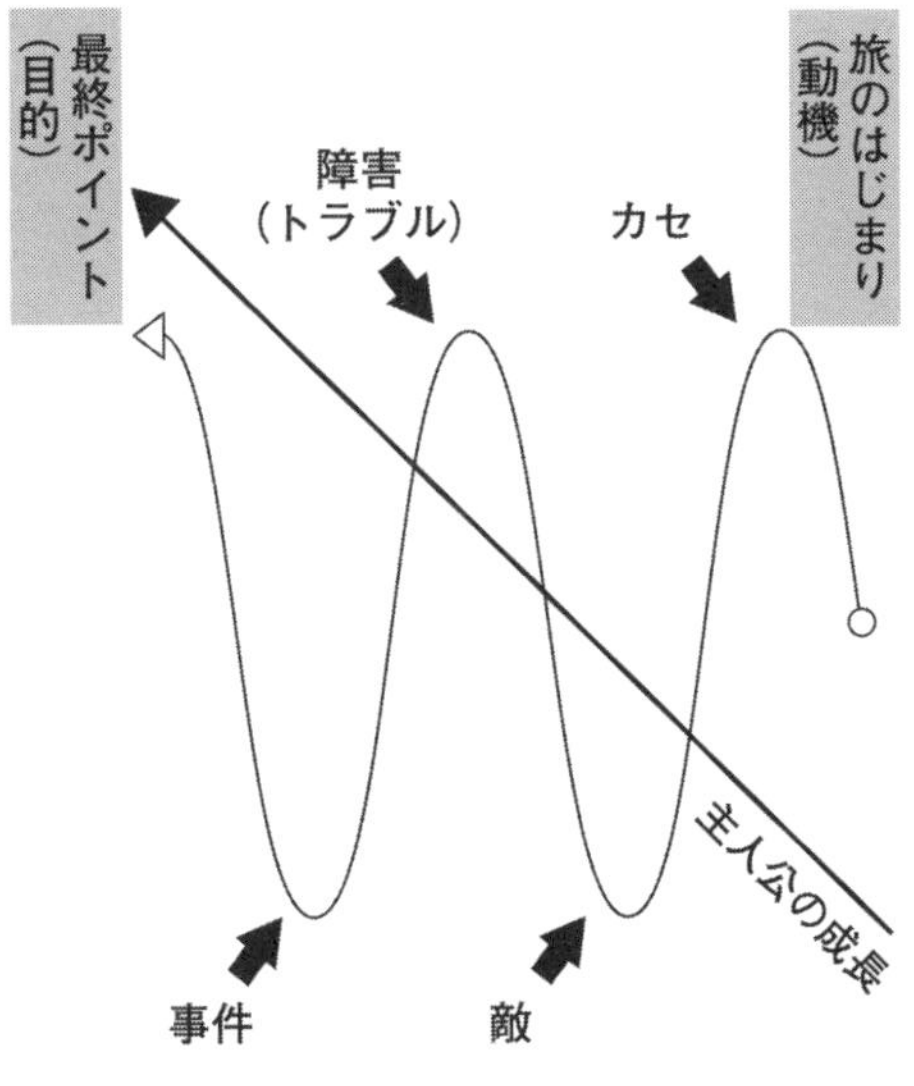

図2

基本型は旅を始めるところから物語がスタートして、途中で事件や人物、障害に遭遇して、それをクリアしながらゴール（目的）を目指して進んでいく（図2）。

ミステリーではありませんが、古くはギリシャ神話の**『オデッセイ』**やファンタジーの金字塔**『ロード・オブ・ザ・リング』**（**『指輪物語』**）、日本の古典の**『伊勢物語』**や**『東海道中膝栗毛』**はまさに「旅もの」、「ロードムービー」ですね。

最もシンプルな物語のカタチですので、イメージもしやすいはずです。

アイデアとしてのキーは、主人公をどのような設定にして、どのような旅をさせるのか？　旅するための動機と目的は何か？

こうしたことが大枠としてのカタチになります。

もうひとつ他の4つのベースとの組み合わせで、より内側の造りが決まってきますが、それに関しては後述します。

ミステリー小説で、いわゆるロードムービー的な代表作は例えば、**キャビン・ライアル**の**『深夜プラス1』**。あるいは、**フレデリック・フォーサイス**の**『ジャッカルの日』**もロードムービー的な造りです。

映画では例えば**『逃亡者』**（もともとはテレビドラマのシリーズ）は、主人公の医師リチャード・キンブルが妻殺しの容疑者とされたことで、自らの潔白を証明するために真犯人とおぼしき片腕の男を探す旅をする。

あるいは**ヒッチコック**監督の傑作**『北北西に進路をとれ』**は、スパイ事件に巻き込まれた主人公が、組織と警察に追われながら、自らの潔白を晴らすための旅をする。

この旅ものが物語の基本中の基本というのは、物語はすなわち「すべて旅もの」という言い方もできるからです。問題は旅のさせ方。

どんな物語であっても基本となるのは、主人公が、何らかの**【動機】**と**【目的】**があって、その目的に向かって旅をする。

すると、この動機と目的を具体的に決めて、どのような旅をさせるか？　下記の□□のところに具体的な用語を入れてみれば、大まかな物語のベース、プロットができます。

（主人公の）□□は□□のため、□□を目指して旅をする。

主人公の□□は□□を目指して、□□するために旅をする。

リチャード・キンブルは、妻殺しの容疑者になり、身の潔白を証明するために旅をする。

名探偵ホームズは、赤毛同盟の謎を解くために旅をする。

というように、これが基本の基本です。

映画ではいわゆる「ロードムービー」は名作がたくさんあります。ミステリーではありませんが、恋愛映画の古典『**ある夜の出来事**』や、**フェリーニ**の名作『**道**』、アメリカンニューシネマは特に多く、『**イージー・ライダー**』『**俺たちに明日はない**』『**明日に向って撃て！**』『**スケアクロウ**』『**テルマ&ルイーズ**』（これはミステリーでもある）などなど。

②主人公は「ある空間」にやってくる

次に②の**グランドホテル型（空間限定もの）**ですが、これは旅ものが場所を点々と変えて展開するのに対して、舞台となる空間を限定するもの。

ちなみに『**グランド・ホテル**』というのは、1932年に製作された映画で、このホテルに宿泊に来る客たちの物語が展開する形式で、映画用語としては「群像劇」を描くのに、空間を限定したほうが拡散せずに描ける、という意味で使われていました。

物語を大枠の構造から発想して、アイデアを生み出していくのは、こちらのほうがやりやすいかもしれません。特にミステリーとするには、舞台となる空間を決めて、基本としてはその空間から外に出ない設定とすることで、大枠としての物語が作りやすくなります。

「旅もの」の基本が、主人公が何らかの要因や動機によって旅を始めるところから物語が始まって、さまざまな障害や人との出会い、対立などを経て、目的を達成することで旅が終わる（図3）。

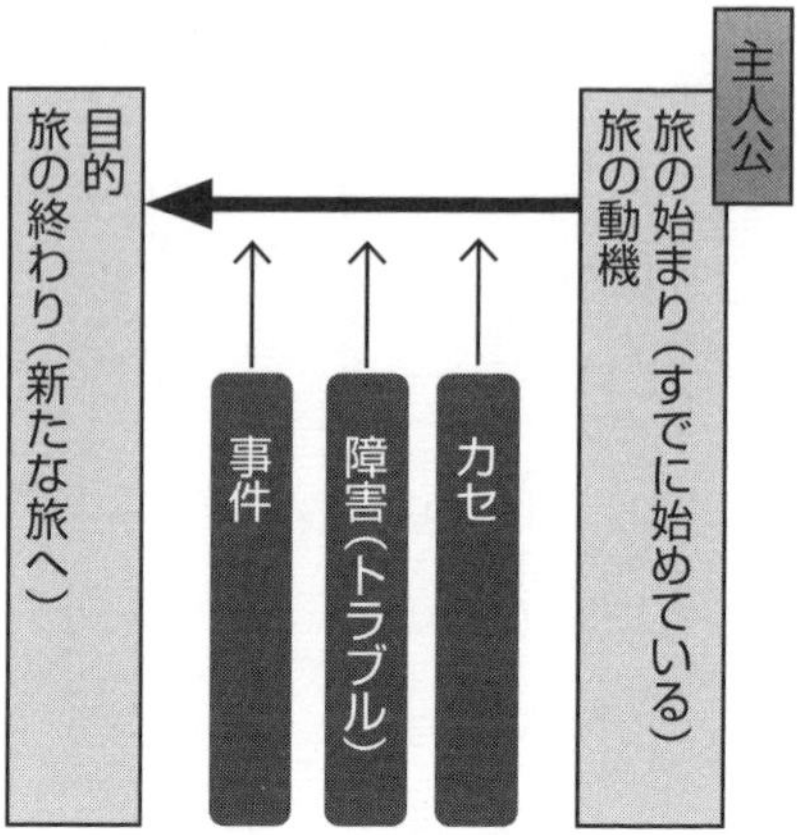

図3

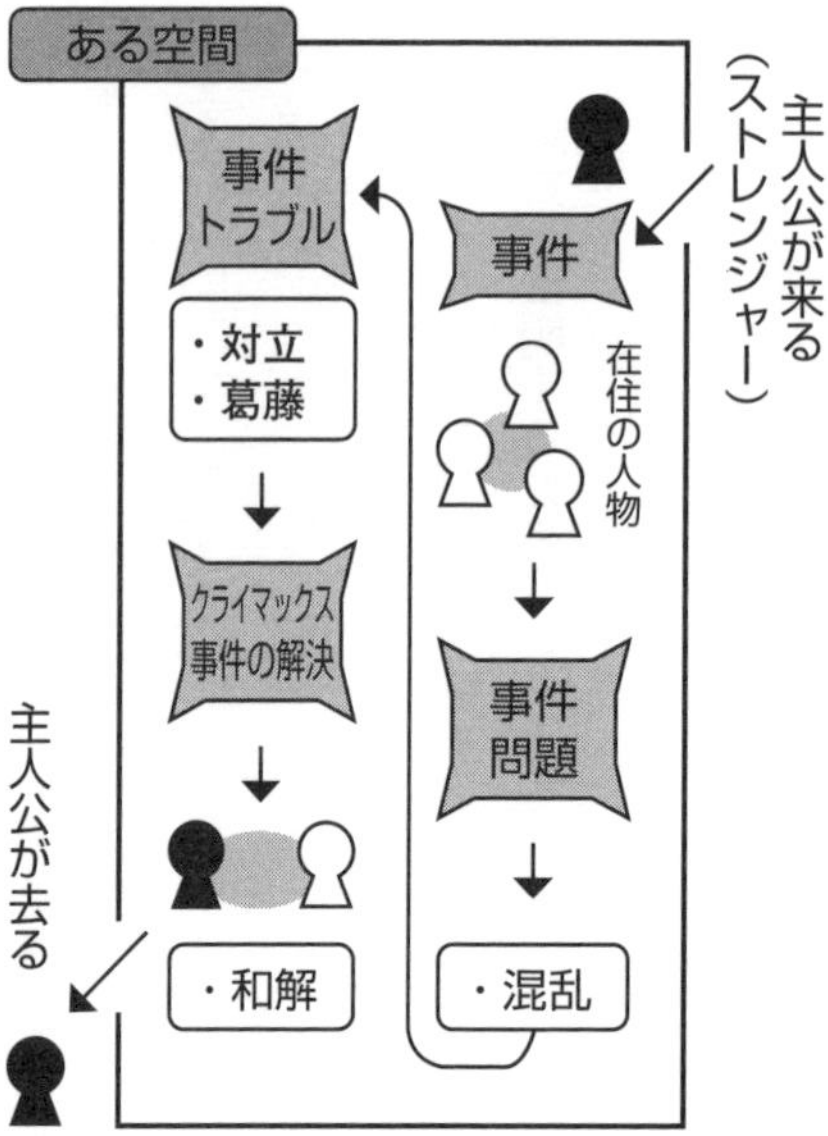

図4

これに対して「空間限定」の基本は、主人公が何らかの動機なり理由があって、そこにやってきて、そこからトラブルや人との出会い、対立を経て、解決をして空間から出ていくことで物語が終わります（図4）。

物語によっては、旅ものでも旅が終わらないままだったり、新たな旅が始まるという終わり方もありますし、「空間限定」も物語が解決しても、出ていかずに終わったりする、というケースもありますが。

ミステリーの場合は、いわゆる館もの、孤島ものといった本格推理ものに、この「空間限定」が多い。

孤島という限定空間で殺人が起きる（②）

例をあげると、レッスン4のオーソドックスな推理ものの名作とされる**クリスティ**の『**そして誰もいなくなった**』は、まさに海に浮かぶ孤島に集められた8人と使用人2人がいて、この島が外と遮断され、一人また一人と人物たちが殺されていくという設定です。

この『そして誰もいなくなった』は、いわゆる「グランドホテル」的な群像劇的作りになっています。

これに対して**横溝正史**の『**獄門島**』も、瀬戸内海に浮かぶ島が舞台になっています。ここで次々と殺人事件が起きて、探偵の金田一耕助が謎を解いていく。こちらは群像劇的ではなく、主人公は探偵である金田一耕助で、彼が限定空間である島にやってくるところから物語が始まり、事件を解決して出ていくところで物語が終わります。

映画での「空間限定」型としては、例えば**黒澤明**監督による『**用心棒**』や『**椿三十郎**』、あるいは『**七人の侍**』がまさにそうですし（ちなみに『**隠し砦の三悪人**』はロードムービー型）、ミステリーならば『**ソウ**』や、**クリスティ**原作の『**オリエント急行殺人事件**』も空間を限定させることで成立しています。

この「空間限定」型の場合、ホテルの一室だけといった狭い空間（一幕ものの舞台劇などはこうした設定が多い）としたり、ホテルの内外とするもの、あるいはひとつの町に拡げるという場合もあります。

例えば、ロードムービーの名作とされる『**ある夜の出来事**』を下敷きにしている『**ローマの休日**』は、ローマという町にやってきたアン王女が一日だけ旅をして出ていくまでの物語です（図5）。

この映画はある意味「旅もの」の要素も加えているので、私は「**パッケージツアー**」型と名付けています。

こうした空間限定での名作ミステリー映画の代表は、『**第三の男**』でしょう。次頁に**ハコ書きを掲載**しましたが、視点者（主人公）のジョセフ・コットン扮するホリーが終戦直後のベルリンにやって来たところから物語が始まる。

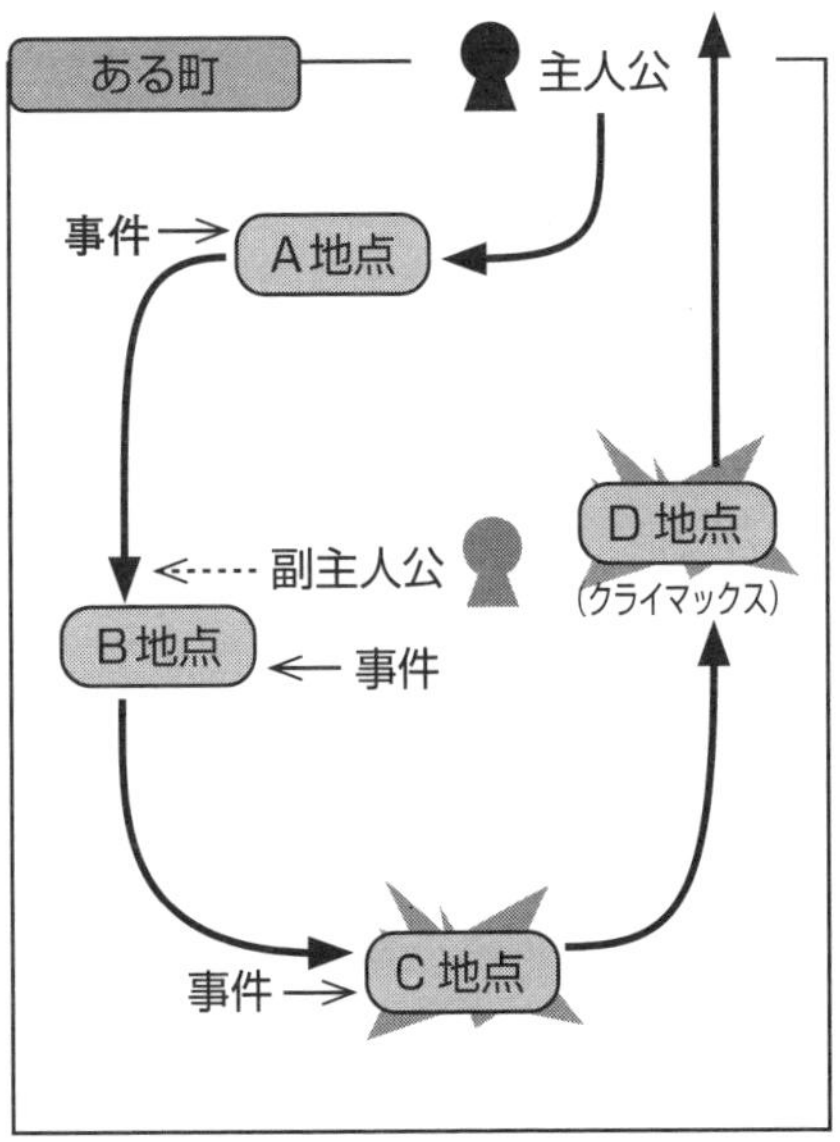

図5　パッケージツアータイプ基本型

『第三の男』構成表

作成／柏田道夫

起

主要舞台にやって来る狂言廻しの主人公ホリー 1

①終戦直後のウィーン点描～駅
４カ国が分割統治していて、ヤミ屋が横行していること。

駅に到着する一文なしのホリー。友人のハリーの招きで来た。
②ハリーのアパート～墓地
門番から聞かされる衝撃の情報。ハリーは交通事故で即死。

これから葬られること。墓地へ駆けつけるホリー。

ハリーが埋められるところ。離れてキャロウェイ少佐。

参列しているアンナ、クルツ男爵、ウィルケン医師ら。

【ポイント・物語となる舞台の紹介とやってくる主人公、来るなり事件に巻きこまれる。主な人物たちを１カ所に集める】

承

（１）少佐（警察）への反発、滞在のための条件 2

①車～酒場～ホテル・ロビー
少佐の車に同乗、酒場へ。親友ハリーの悪口をいわれ反発する。

「私は三文作家さ」。少佐の部下ペイン軍曹が愛読者と分かる。

帰りの航空券。少佐に殴りかかり、反対に軍曹に殴られる。

GHQ の文化担当クラビンを軍曹が紹介、講演を依頼される。

滞在費用のめどが立つ。クルツ男爵から電話、会う約束。

「ハリーを殺した犯人を探してやる！」

【ポイント・主人公の動機の発生、対立する相手（少佐）への反発と作家としての本能。滞在できる裏付けとしての背景】

（２）捜索の開始、食い違う情報 3

①カフェ～ハリーのアパート前（事故現場）
犬を連れたクルツ男爵と会い、事故現場へ向かう。

「友人（ポペスク）と死体を運んだ」。死の直前のハリーの伝言。

「即死と聞いたが」「息はあった」。怪しいクルツ。門番に尋ねるが、妻が邪魔をする。アンナは女優と分かる。
②ホテル～劇場～楽屋
軍曹が届けに来た航空券を断る。クラビンに講演の依頼を了承。

歌劇に出演しているアンナを見る。楽屋で話す。

「彼を愛していた？」「今となっては分からないわ」

【ポイント・謎の提示とヒロインとの接触】

（３）さらなる捜索、キーとなる重要証言 4

①ハリーのアパート
門番を再び聞きこみ。部屋を懐かしそうに見るアンナ。

「死体を運んだのは３人だった。第３の男がいた！」。無言電話。

いい争いとなりボールを持った子どもに目撃される。
②道～アンナのアパート～警察
騒ぐ管理人の婆さん。調べにきている少佐たち。

アンナの身分証は偽造。ハリーの手紙も押収され、警察へ。
③医師の家
ウィンケル医師と面会。男爵の犬。第３の男の存在を否定。
④警察～カサノバクラブ
少佐に取り調べられるアンナ。行方不明の看護人ハービン。

アンアを待つホリー。二人でクラブへ。クラビンに講演の確認。

クルツと遭遇。ハリーの死体を運んだポペスクと話す。
⑤出掛けるハリーの友人たち～橋の上（遠景）
クルツ、ポペスク、ウィンケル、もう一人の謎の男
【ポイント・事件のキーの提示、深まる謎、アンナへの想い】

（４）新たな殺人、追い詰められる主人公 5

①ハリーのアパート～アンナのアパート
再び事故現場。窓から門番「今夜話しましょう」。振り向くと！

アンナとハリーの思い出を語り合う。「要領のいい奴だった」
②ハリーのアパート～道～劇場
二人で門番の話を聞きに。が、門番は殺害されていた！

ボールの子どもがホリーが犯人だと告げ、劇場へと逃げる。
③道～ホテル講演会場～夜の街
ホテルに戻るなり、タクシーに乗せられる。猛スピードで着いた先はクラビンの講演会場。しどろもどろでしらける客たち。

ポペスク、怪しい男二人と現れホリーを脅迫。彼らから逃げる途中、オウムにつつかれる。夜の街を逃げる。追う男二人。
④警察
少佐に助けを求める。ハリーのヤミ商売が水増しペニシリンで犠牲者が多数出ていること。信じないホリーに証拠を示す少佐。

帰国を勧められる。アンナの逮捕が決まる。

【ポイント・主人公に振りかかる危機。事件の背景】

（５）謎の男の正体、意外な事実 6

①クラブ～アンナのアパート～外にいる男～広場～下水道
悩み酔うホリー、花を買いアンナの元へ。「お別れに来た」

猫が出ていく「ハリーにはなついていたのよ」

愛の告白とハリーへの疑問。外に立つ謎の男。すりよる猫。

出てくるホリー。「誰だ？　出てこい！」。男の足元の猫。

明かりに浮かび上がる男の顔。ハリー・ライム！！

衝撃のホリー、ハリーを追いかけるが広場で消える。

呼ばれた少佐と軍曹。逃げたのは地下の下水道だ。

【ポイント・苦しむ主人公。ヒロインへの愛の告白。真相の提示そしてクライマックスに繋がる衝撃の事実】

転

（１）明かされる真相。もう一人の主人公ハリー 7

①墓～アンナのアパート～警察
掘り返される墓。埋まっていたのは看護人ハービンの死体。

偽造身分証のアンナが国際警察に連行される。ホリー、アンナに「奴は生きていた」。アンナ、少佐のハリー逮捕協力依頼を拒絶。
②クルツの家～観覧車の再会
男爵と医師にハリーへの伝言を。観覧車で待つホリー。

ハリー、ついに現れる。責めるホリーにうそぶくハリー。

「仕事を手伝え」「アンナを見捨てるのか」「お前にまかせる」

【ポイント・事件の真相とハリーの悪の論理・魅力】

（２）愛と友情との板挟み。裏切るか否かの葛藤 8

①警察～駅～警察～車～病院～車
裏切りを勧める少佐。迷うホリー。アンナの無事と引換えに。

軍曹に送られて列車に乗るアンナ。見送るホリーを見つける。

ホリーの裏切りを知り怒るアンナ。「彼は私の一部なの」

協力を渋るホリーを小児病棟に連れていく少佐。

犠牲者たちを見て、ホリー、囮となることを決意。

【ポイント・激しい主人公の葛藤、究極の選択を迫られる】

（３）裏切り、追い詰められるハリーと友情の決着 9

①カフェ～広場～カフェ～地下水道へ
ハリーを待つホリー。張りこむ部隊、少佐ら。邪魔な風船売り。

現れるアンナ。そしてハリーも。アンナ「逃げて！」
②地下水道の逃走と追跡、二人の対決
必死に逃げるハリー、追い詰める４カ国による国際警察。

ドブネズミのように逃げるハリー。追うホリーと少佐たち。

ホリーを庇って軍曹が撃たれる。少佐の発砲で負傷するハリー。

地上に伸ばされた指。軍曹の銃で迫るホリー。見つめあう二人。

ハリーが頷く。地下水道にこだまする一発の銃声。

【ポイント・光と影による緊迫のクライマックス、対決】

結

（１）愛と友情の終わりと無言のメッセージ 10

①墓地～並木道
本物のハリーの埋葬。参列者はアンナとホリー、少佐のみ。

追い越すホリー、入り口で待つが、アンナは無言で去っていく。

【ポイント・〈起〉の墓に戻る。余韻の結末】


『ドラマ別冊エンタテイメントの書き方２』（映人社）より

物語の基本は主人公の動機と目的ですが、ホリーの動機は「この町で失踪した友人のハリーの行方を探す」です。で、そのハリー捜索の過程で、さまざまなことがあり、二転三転の展開を経て、物語が解決して終わります。

　こうした融合型としては、ロードムービーの例とした『**逃亡者**』は、一作で成立する映画版は「旅もの」となりますが、もともとは連続ドラマでした。警察から追われ、真犯人を追いかける主人公が、ひとつの町にやってきて、そこにいる事件や人物と遭遇して解決して去って行く、という構造となっています。

『第三の男』のポスター 1949 年
出典：ウィキメディア・コモンズ

　これと同じ旅もの＋空間限定とするシリーズでは、日本のドラマならば『**水戸黄門**』であったり、『**木枯らし紋次郎**』がそうしたスタイルになっていました。昔の時代劇にはこの融合型が多く、『**座頭市**』シリーズなどもこうした形式になっていたわけです。

　話を戻すと、この「空間限定」で発想する際は、アイデアのベースとしての大枠ならば、どういう空間を設定するかを決める。そこに主人公を放り込んで何をさせるか？（これも次の動機次第でアプローチが違ってきますが）これによって、物語の方向性が見えてくるはず。

③喧嘩していた相棒に芽ばえる友情

　③のバディ型（相棒もの）は、主人公を二人とする、もしくは主人公に重要な副主人公をぶつける、一緒に行動させることで、ストーリー性を高める手法になります。

①の「ロードムービー」型も、多くはいわゆる「**バディ・ロードムービー**」とする場合が多いのです。前記の映画の名作としてあげたものは皆、相棒で旅をする形式が多いですね。『**俺たちに明日はない**』はボニーとクライド、『**テルマ&ルイーズ**』も女二人組の旅です。

なぜ相棒とするといいかというと、一人旅だと単調になりがちなのを防げるし、互いのパートナーが問題を起こしたり、障害になったりと物語をおもしろくできるからです。

物語をおもしろくする要因のひとつは、ドラマの要素、対立・葛藤・相克だったりしますが、相棒で旅をさせることで、このドラマを盛り上げる展開にできるからです。

この「バディ・ロードムービー」のサンプルになる映画こそ『**手錠のままの脱獄**』です。主人公は白人と黒人の二人の脱獄囚で、手錠で繋がっているために、一緒に逃げざるを得ない。最初はミッキー・カーティスの白人は、シドニー・ポアチエの黒人を差別し、互いに憎しみ合い、対立します。しかし手錠で繋がれているために離れることができない。

この相棒で旅の場合は、対立（喧嘩）させながらも、離れずに旅を続けさせなくてはいけません。

『手錠のままの脱獄』は、手錠という物理的な拘束があって離れないのですが、途中で手錠が外れても、二人は互いに旅を続けます。

物語は人物たちが経験を経ることで、心情の変化を描くものですが、二人は旅の過程で互いを認め、友情が芽ばえるのです。

「旅もの」に限らずに**物語の基本は、人物の成長（変化）の過程を描く**のですが、バディにすることで、互いを理解し友情や愛情を抱くようになる、その変化が描きやすいわけです。

バディもののポイントは、組となる**二人の関係が互いの刺激になること**であったり、**二人ができるだけ離れないようにすること**です。

「無理やり同居もの」で場が決まる（③）

この「相棒」ものは、「旅もの」だけでなく、**他の**

型との組み合わせによって新たなベースになります。**「グランドホテル」＋「相棒」型**は、ひとつの空間に対立したり、協調する二人を放り込む。別の言い方をするといわゆる**「無理やり同居もの」**です。

探偵ものはまさに古典であるシャーロック・ホームズには、ワトソンという相棒がいて、性格の違う二人が同居し事件に向かうことで、物語が複合的に展開します。

テレビドラマシリーズの**『エレメンタリー・ホームズ&ワトソン』**は、ワトソンを女性とすることで、より変化を与えています。

空間を限定して、そこに一緒に暮らさざるを得なくすることで、旅ものと同様に、互いの存在や事情が対立を生んだり、障害になったりします。

前記の**『第三の男』**は、無理やり同居ではありませんが、視点者のホリーと対象となるハリーの関係性で物語が進行します。

恋愛ものは当然、当事者となるカップルがバディとなることが多いのですが、**『或る夜の出来事』**は、新聞記者のピーターと取材対象者の富豪の娘エリーとの旅になっています。**『ローマの休日』**もブラッドリー記者とアン王女です。

④⑤何を目指して頑張るか？

次の④と⑤は、主人公の動機の差によるベースになります。

④の「サクセスストーリー」も①の「ロードムービー」と同様に、そもそもの物語の一番多い型といえます。

主人公は旅の過程で成長していくものですが、それはすなわち目的を達成する成長するサクセスとなることが多いわけです。

サクセスストーリーは、別の言い方をすると**「シンデレラストーリー」**でもありますが、虐げられていた境遇にいたシンデレラが、他者の助けや自身の努力によって栄光をつかむというストーリーは、観客の共感を呼びやすい普遍的な物語形式なわけです。

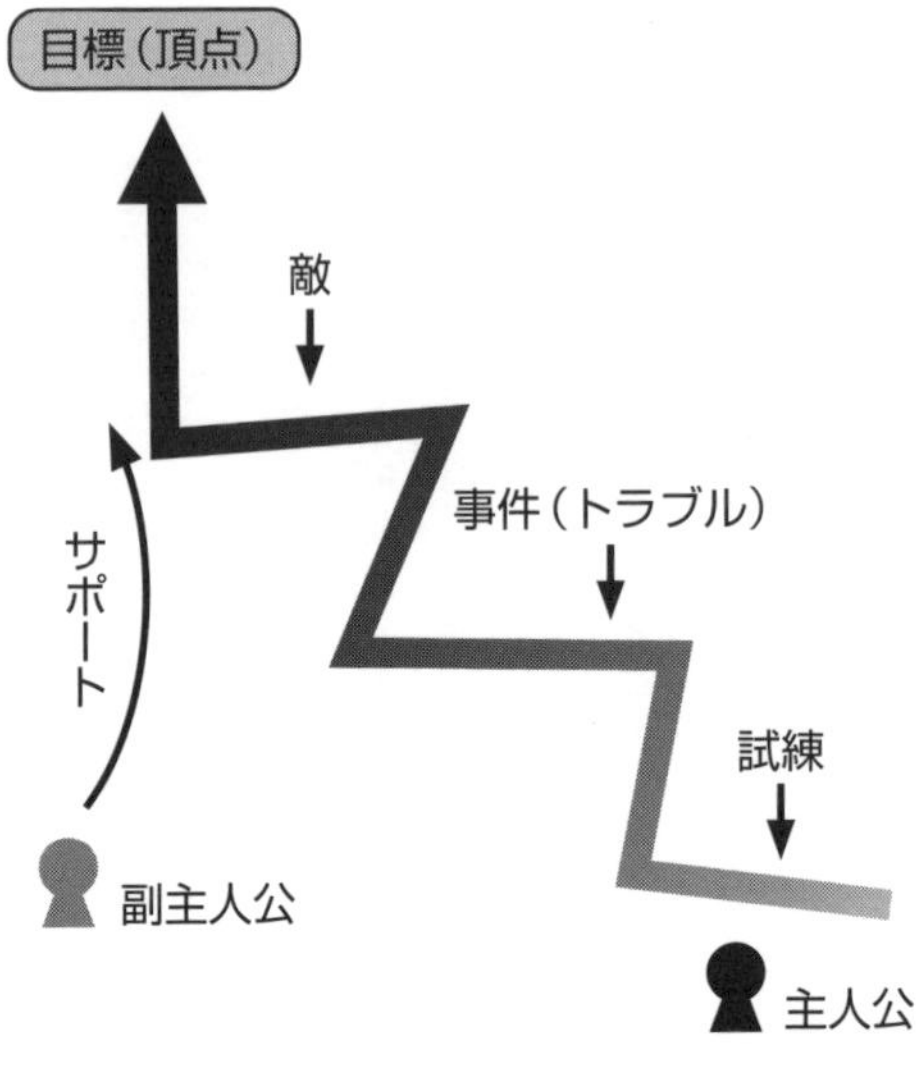

図６　シンデレラストーリータイプ基本型

物語の基本として必要なのは、主人公が何を？　どこを目指すのか？（つまり人物の動機と目的です）どのような障害があって、目的を達するために何が必要となるか？（図６）

主人公がどういう世界で戦うのか？　頑張るのか？

必然的にジャンルとして多いのはスポーツもの。**『ロッキー』**や**『頑張れベアーズ』『ベストキッド』**というように、ボクシング、野球、カラテなど、それぞれのスポーツで頂点を目指す構造となります。「ロードムービー」同様に、構造としてはシンプルなものになります。

ちなみに**「サクセスストーリー」＋「相棒もの」**は（私は**「マイ・フェア・レディ」もの**と名付けていますが）、主人公とサポートするもう一人で頂点を目指す物語になります。**『マイ・フェア・レディ』**はまさにイライザとヒギンズ教授がレディを目指して奮闘する物語でした。このスタイルは普遍的で、これを下敷きにした**『プリティ・ウーマン』**や**『ニキータ』**などがまさにこれです。

前出の『ホームズ&ワトソン』や『シャーロック』など、さまざまな切り口のホームズものが流行していますが、これらはすべて二人で目的である事件解決を目指すというスタイルをとっています。

⑤平穏を乱すトラブル発生

⑤の「**巻き込まれ型**」は、「サクセス・ストーリー」がいわば主人公の内なる動機から栄光を目指すというスタイルに対して、ごく普通の生活を送っていた人物がある日突然トラブルに巻き込まれて、それを回避するために戦う、逃げるといった物語です。

元の生活、人生を取り戻すために、あるいは疑いを晴らすために、家族や自身の名誉を守るためになどなど。

フィクションにかかわらず、我々の人生も平穏に越したことはないのに、生きていればさまざまなトラブルや事件に見舞われます。

ましてやフィクションで、平穏無事、何も起こらない話では、まさに話になりません。物語とするために、主人公をはじめとする人物に何かとんでもない事態が出来する。トラブル、事件に見舞われることで、がぜんストーリーが動き出すのです。

もうひとつ、物語を前に進め、おもしろく展開させるポイントとして、「**人物を必死にさせる**」「**戦わせる**」というのがあります。

読者・観客をその物語世界に引っぱり込むためには、いくつもの要素があるのですが、重要なポイントは「**人物（主人公）に感情移入させる**」です。

人物に感情移入させるためにもいくつもの踏まえるべき要素があります。**キャラクターを魅力的に造型する**というのがまず大事なことですが、これについてはおいおい述べていきます。

そうした登場させた人物が必死になっている、戦っている姿を早めにもってこれると、読者・観客はひとまずその人物を応援したくなるのです。

「サクセスストーリー」の場合の基本型は、主人公が栄光（目標）を目指して頑張る姿で展開しますので、必死にならざるを得ない。ライバルが強敵であったり、目標が困難であればあるほど、いやおうなく必死になるわけで、感情移入しやすくなります。

この「巻き込まれ型」の場合、例えば人物がごく普通のキャラクターであったりしても、あるいは多少なりとも感情移入しにくい人物として造型したとしても、突然のトラブルに見舞われて必死にならざるを得なくしてしまう。

すると「さあ、どうなる?」「どうする?」と読者・観客の興味を引くことができるわけです。

「巻き込まれ型」の典型としては、前にあげた『**北北西に進路をとれ**』はまさにサンプル的な映画です。

あるいは、首相暗殺犯とされてしまった宅配便の配達人が、仙台の街で（空間限定）追及から逃れながら潔白を得ようとする**伊坂幸太郎**『**ゴールデンスランバー**』も典型的な「巻き込まれ型」です。

この『ゴールデンスランバー』は、いわゆる「濡れ衣を着せられる」というスタイルでもあるわけですが、これも同じと考えていい。

古典では**ウィリアム・アイリッシュ**の名作『**幻の女**』や『**暁の死線**』（ロードムービーやバディものの要素もあり）など枚挙にいとまがありません。

このようにベースになる5つの基本型を理解したうえで、その組み合わせにより物語の大まかなプロットができます（図7）。

ミステリーに限りませんが、多くの物語はこうしたベースを供えています。小説や映画を楽しみながらも、どのベースを踏まえているかを考察、研究しながら鑑賞すると、構造を学ぶこともできます。

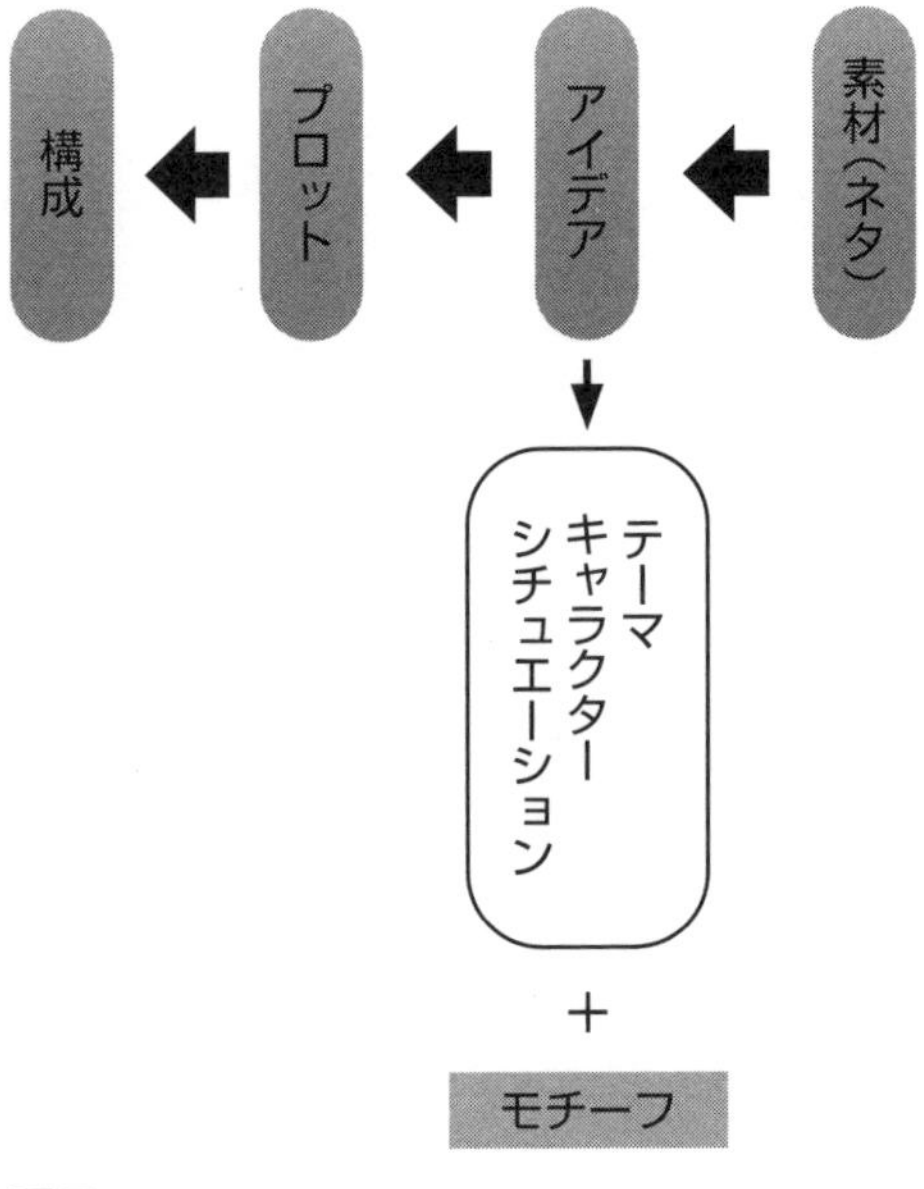

図7

LESSON 4

基本型の本格推理ものを推理してみる

『獄門島』と『そして誰もいなくなった』はどこがスゴいのか?

ミステリーの中でも王道といえるのが「推理もの」でしょう。

大きな謎があって、探偵役の主人公が謎を解いていく。前述したように史上初の推理小説は、**エドガー・アラン・ポー**が書いた**『モルグ街の殺人』**とされています。

モルグ街殺人事件の構造

パリの架空の町のモルグ街で猟奇的な殺人事件が起きる。これを探偵の**C・オーギュスト・デュパン**が、残された手がかりを元に天才的な推理によって解明します。

さらにこの事件は、被害者の母娘がアパートの4階の密室で殺されていた、という設定で、密室物としても最初の推理ものでした。

また、このミステリーは、〝ぼく〟という一人称で、知り合ったデュパンとともに謎を解いていくというバディものともなっています。

語り手のぼくがデュパンとともに暮らすようになるという設定も含めて、コナン・ドイルがワトソンとホームズというコンビにそのまま踏襲したのは間違いありません。

ともあれ、**推理ものの最もオーソドックスな原型**を『モルグ街の殺人』は打ち立てています。つまり、

1　不可解な事件が起きる
▼
2　これと関わる主人公（探偵役）登場
▼
3　事件の詳細（散逸する手がかりを示す）
▼
4　解明の障害・謎が立ち塞がる
▼
5　解決の決定打
▼
6　意外な犯人、真相が明らかになる

が**大まかなプロットの流れ**となります。

ただこの①と②が逆転する場合もあります。物語の設定を読者に認識させるために、②が先で①となって、という流れのほうが多いかもしれません。『モルグ街の殺人』もそうなっていますが、まず主人公であったり、この時代や舞台となる空間について紹介しておいたうえで事件が起きる。

③と④も当然、クロスしながら展開していきます。事件に関わる手がかり、状況はどういうカタチであれ、事件の進行の段階、もしくは探偵が捜査をする段階で示しておかなくていけないことになっています。

こうした手がかり（情報）を明らかにしつつ、疎外する要素も折り込んでいきます。

意外性、どんでん返しが決まるか？

物語の展開のさせ方として、探偵役（すなわち読者も）が、簡単に結論に到達してしまう手がかりであったり、謎の解答への道筋、トリックの詳細が示されていたのでは、ミステリーとして成立しません。

また、おもしろく展開させるために、**トラブルや障害があって、簡単に結論に至らないようにする。**

⑤と⑥は【起承転結】の【転結】部に相当しますので、クライマックスとしての盛り上がり、そして【転】は逆転の意味もありますので、ここで読者（観客）の予想通りでは作者の負けになってしまいます。

意外性、つまり意外な真犯人であったり、真相が明らかになるという展開にできるか？

そうした意外性やいわゆるドンデン返しが鮮やかに決まれば、ミステリーとして成功です。また、意外性がなくてある程度読者の予想通りであったとしても、感動を与えられれば同じく成功です。

反面、意外性やドンデン返しばかりを追求して、不自然な展開になったり、いわゆるリアリティが欠如したのではまさに本末転倒です。

ともあれ、こうした王道としての推理ものは、多くのケースは作者は（レッスン3で述べた）大枠としての設定を想定する、もしくはトリックなり、【転結】での意外性が発想として生まれて、それを活かせる設定なり展開を考えていく。

その際、探偵役なり主人公を誰にするか？　ということがシリーズなどの場合は決まっていますし、新たにアイデアに合わせて造型していって、ということもあるでしょう。

ミステリーの場合は特に、この【転結】部が命ともなりますので、作者はここをある程度頭の中で描いておいて、導入部としての【起】であったり、途中の展開【承】を書いていくはずです。

稀にベテランの作家になると、【転結】をまったく想定せずに、特異な設定や事件を最初に打ち出して、その解明（いわば辻褄合わせ）をしながら、結果的に意外性を持ってこれる、という人もいます。

これはその書き手が独自の作劇術を打ち立てている場合です。経験上、そうした収束のさせ方を熟知していて、まとめることができるのです。

ですので、初心者はこうしたプロ作家の手法を鵜呑みにしないほうがいいと思います。

ミステリーで世に出ようと思うならば、**全体の構成を練る**。**重要な【転結】を念頭に書き進める**ことをオススメします。

ただし、最初に想定しておいた【承】や【転結】が書き進めているうちに、違う方向性が見えてくる場合もあります。その時はもう一度全体を見直して最良のストーリー展開を選べばいいのです。

探偵が島へとやってくる――『獄門島』

このオーソドックスな「推理もの」の名作を挙げておきます。

まず、『2012年版・週刊文春　臨時増刊　東西ミステリーベスト100』（以下『12年・ミステリーベスト』）の国内ベスト1に輝いた**横溝正史『獄門島』**と、海外編ベスト1の**アガサ・クリスティ『そして誰もいなくなった』**。

『獄門島』の舞台設定は、瀬戸内海の中ほどの小島（**設定としての空間限定型**）。

設定としての限定を強調するために、島民は周囲の島々から白眼視され、よそ者に激しい敵意を抱く土着性がある。

物語の設定として、**時間・時代を示す【天】**は終戦直後の昭和21年、**場所を示す【地】**は上記の小島、**主要登場人物を示す【人】**は、探偵の金田一耕助です。

主人公の金田一が戦地で知り合った獄門島の網元・本鬼頭の跡取りの友人となったことから、「俺が帰ってやらないと、三人の妹たちが殺される」という遺言で、島へとやってきます。

この島の本家と分家の関係性であったり、複雑な人間関係の中で三姉妹の連続殺人事件が発生します。

この殺人は三つの俳句による「見立て殺人」となっていて、以後も横溝作品に継承されていきます。もともとは**ヴァン・ダイン**の『**僧正殺人事件**』で、マザーグースの**歌詞通りに連続殺人が起こるという手法**があって、おなじようにクリスティが『そして誰もいなくなった』でも使われていて、横溝はこれを踏襲しました。

そのひとつは、芭蕉の「むざんやな冑の下のきりぎりす」を映した、釣り鐘の中に押し込められて絞殺された死体といった使い方です。

最後に三姉妹や復員兵の殺人の真相と真犯人が暴かれて物語は終了します。

『獄門島』は、何度もドラマ化、映画化がされています。近年では2016年にNHK―BSで金田一耕助を長谷川博己が演じてドラマ化されました。

ただやはりサンプルとなる映像化作品としては、

１９７７年公開されたいわゆる角川映画。市川崑監督で、金田一耕助を石坂浩二が演じたシリーズの３作目でしょう。映画化ではラストの解明が若干変更されています。

ご存じのように、この角川映画のシリーズは、第一作の『**犬神家の一族**』が派手なテレビスポットと、文庫本販売キャンペーンとを合わせた宣伝戦略でブームを起こしました。

『犬神家の一族』は家宝の「斧《よき》、琴、菊」の判じもの見立て殺人が起こります。

市川崑監督＋石坂浩二金田一耕助シリーズは、リメイクも含めてたくさん映画化されますが、何といっても最高傑作は第２作の『**悪魔の手鞠唄**』でしょう。

岡山と兵庫の県境にある鬼首村で起きる連続殺人の謎に挑む金田一耕助。これも見立て殺人ですが、横溝がかつてマザーグースでインスパイアされた童歌（村に伝わる手鞠唄で横溝の創作）が使われています。

原作の評価は横溝作品の中でもけっして高くない（『12年・ミステリーベスト』では75位）のですが、映画は独特のユーモアとペーソス、ディテールが活かされていて哀切あるミステリー映画となっています。

真犯人までが死んでしまう？――『そして誰もいなくなった』

ミステリーの女王という称号を持つ**アガサ・クリスティー**による不朽の名作『**そして誰もいなくなった**』。

この作品には明確な探偵役はいません。それもそのはずで、タイトルが示すように、当初の登場人物はすべて死んでしまい、誰もいなくなるからです。

物語の設定は、**典型的な「空間限定型」**です。イギリス沖に浮かぶ小島の兵隊島に、年齢や職業も異なる8人の男女が招待される。島には一軒の邸宅があり、執事とその妻がいて、彼らの世話をする。

じつは彼らは過去に何らかの殺人を犯していて、それを糾弾するレコードの声が流される。そして、一人また一人と童謡の歌詞の通りに何者かに殺されていき、食堂のテーブルに置かれた十体の兵隊の人形がひとつずつ消えていきます。

島には彼ら十人の人間しかいないため、この中に殺人犯がいるに違いないと、残された人間たちは互いに疑心暗鬼になる。

しかも島に来る送迎の船が来なくなり、彼らは完全に島から出られなくなる。最後の一人も死亡、誰もいなくなるのですが、事件後に発見された告白文から真相が明らかになります。

「空間限定型」の中でも、そこから脱出できなくなるという設定を「**クローズド・サークル**」といいます。『そして誰もいなくなった』はその見本的な名作とされています。

真相の隠し方と解明がキモ

童謡の歌詞通りに殺人が行なわれるというのは「**見立て」殺人**です。

さらに、「真犯人である人物を、死んでしまったように見せかける」というミステリートリックの手法、「**バールストン先攻法（キャンビット）**」でもあります。ちなみに「バールストン」の出典は、**シャーロック・ホームズシリーズ**の『**恐怖の谷**』の館の名前。ここで殺されていた人物はじつは別人の死体で、というところから。また、「先攻法（キャンビット）」というのは、チェスの指し手のひとつだとか（この用語の創設者は『エラリイ・クイーンの世界』〔早川書房〕の著者フランシス・M・ネヴァンズjr）。

ともあれ、シチュエーションや隅々（十人一人一人に至る）まで作り込まれたディテール、意外だけれど説得力のある真相の見せ方まで、見事なまでの名作で、以後のミステリーにもさまざまな影響を与え続けています。

映像化も多数。古くは名匠ルネ・クレールによる1945年製作の映画から始まり、近年では2015年製作のイギリスBBCによるドラマ（NHK・BSで16年オンエア）版があり、日本でも2017年にテレビ朝日で二夜連続でオンエアされました。

この日本版では現代に置き換えられているために、八丈島沖の孤島で、スマホやタブレットなどはバッテリーが抜かれていて孤立化してしまう、といった工夫がされていました。

ともあれ、この代表作二作のように、オーソドックスな「推理もの」は、まずミステリーを提示するための**効果的な設定**があり、**謎（殺人事件）が起きる**ことで物語が動き始め、読者と同じポジションとなる**探偵役（視点者）が、事件を追いかけながら謎を解明して**いく。

最終的に謎の解明がなされて物語が終わります。この展開でいかに読者を導いて、**【転・結】部で意外性が説得力として示せるか？**　これが成功の有無を決定します。

この二作の構造を改めて検証するまでもなく、作者は物語を成立させるための設定を固めながら、起きる殺人の被害者と加害者（つまり真犯人）をしっかりと決めています。なぜ真犯人は殺人を犯すのか？　動機や理由づけを詰めたうえで、それらを隠したうえで物語が進行するように造られています。

この**真相の隠し方**と、**【転・結】**における**解明のさせ方**がプロットのキモになるわけです。ベテランプロ作家のいう「行き当たりばったり」的な書き方は、ミステリーの場合は特に難しいというのがおわかりでしょう。

ワトソン博士とホームズ（シドニー・パジェット画、1893 年）
出典：ウィキメディア・コモンズ

LESSON 5 名探偵の作り方

デュパンからホームズへ

ミステリーの出発点となったポーの『**モルグ街の殺人**』の謎を解く名探偵は**オーギュスト・デュパン**です。

じつはデュパンはこの『モルグ街』と、第2作『**マリー・ロジェの謎**』（デュパンが新聞記事の情報のみで事件を解決するので、安楽椅子探偵の元祖ともされている）、第3作『**盗まれた手紙**』の3作しか登場しません。それでも史上初の名探偵という称号で語り継がれるわけです。

デュパンは没落した名門貴族の御曹司で、昼は今で言う引きこもりで香料入りの蝋燭下、読書と瞑想にふけり、夜はパリのいかがわしい街を徘徊するインテリ。警視総監のGと友人で、難事件解決の相談をたびたび受けることで事件に関わるはめになります。

たった3作ですが、この探偵役の造型が以後のミステリーのまさに原型となっていることがわかります。

このデュパンをひな形として、**コナン・ドイル**が生み出した名探偵こそが**シャーロック・ホームズ**。世界一有名な探偵です。現在までも繰り返しドラマ化・映画化されています。

近年では前述した現代のニューヨークを舞台としたテレビドラマシリーズの『**エレメンタリー・ホームズ&ワトソン**』（ホームズをジョニー・E・ミラー。ワトソンをルーシー・リュー）。

イギリスBBC版の『**シャーロック**』**シリーズ**（ホームズをベネディクト・カンバーバッチ、ワトソンをマーティン・フリーマン）、

映画も2009年から作られ、ほとんどアクション

映画となっていた『シャーロック・ホームズ』（ホームズはロバート・ダウニーJr、ワトソンをジュード・ロウ）のように、たくさん製作されています。

それぞれの作品で、ホームズや相棒となるワトソン像はキャラクターが微妙に変えられているのですが、基本はドイルが作った名探偵を踏襲しています。

『緋色の研究』で、ホームズはルームメイトを希望してきたワトソンと初めて会いますが、一目で彼をアフガン戦争の帰還兵であることを見抜きます。

このように、ホームズはわずかな手がかりから真実を導き出す推理力を備えていますが、非常に他人とはつき合いづらい〝**変人**〟です。常識を兼ね備えたワトソンが間に入ることでコンビ（バランス）が保たれ、事件に対処できます。

レッスン3で「相棒（バディ）」型について述べましたが、主人公を極端な変人タイプにした場合、**相棒をある程度一般人的常識を備えているキャラ**にするのは、読者目線に近いところから事件や探偵役を客観視するメリットをも与えるためです。

トリックのリアリティと探偵の造型

このホームズの登場がきっかけとなり、本格推理小説が一大潮流になるにつれて、世界中でミステリー作家が名乗りを上げ腕を競うようになりました。彼らが新しい推理小説、探偵小説を書くうえでまず留意したのは、殺人（犯行）**トリックの創造**と、それを名推理によって解答を示す**名探偵の造型**でした。

トリックの場合、それが奇妙であればあるほど、意外性が発揮できればできるほど、作家が留意したのはリアリティでしょう。

「このトリックはあり得る」と読者に納得させるだけのディテールであったり、成立にいたるプロセスを徹底的に練り直す。

むろん、ディテールだけでなく文章力も発揮しなくてはいけないのですが。ともあれ、画期的なトリックを思いついたとしても、読者に「そんなことありえない」と思われたら、それはミステリーとして成立しなくなってしまうのです。

こうしたトリックの不備、リアリティ不足は、アマチュアのミステリー作品に往々にして見られます。ストーリー展開のためであったり、思いついたアイデアを無理やり強引に成立させようとして、嘘だらけになってしまう。

先人のミステリー作家たちもトリックに関しては、知恵を絞り、成立させるために徹底検証して作品としてきたのです。

で、トリックの成立と同様にミステリー小説の決め手となるのが、そのトリックを見抜き、明解な解答を示す探偵です。

ドイルのホームズ以降、トリックと平行して、ミステリー作家たちは、主人公たる探偵役の造型を考え抜いた末に、自らの小説世界に登場させてきました。

G・E・チェスタトンの**ブラウン神父**、**ドロシー・L・セイヤーズ**の**ピーター・ウィムジイ卿**、**アガサ・クリスティー**ならば、**エルキュール・ポワロ**や**ミス・マーブル**。**ヴァン・ダイン**の**ファイロ・ヴァンス**、**エラリー・クィーン**の**エラリー・クィーン**というように。

例えば、**クリスティー**が誕生させた**エルキュール・ポワロ**は、ベルギー人で警察署長も勤めたことのある小太りというキザな紳士。ピンと立てたヒゲがトレードマーク。世界一の「灰色の頭脳の持ち主」と自らで称する自信家。

ポワロも数々映像化されていますが、一目見ただけでポワロとわかるスタイルで登場します。ちなみに初期の相棒役はヘイスティングズ大尉です。

この個性的な探偵ポワロは数々の難事件と遭遇し、その「灰色の頭脳」で解決していきます。

日本最初の探偵は岡っ引の半七

日本では、ホームズに影響を受けた**岡本綺堂**が、時代物の『**半七捕物帳**』を書きました。岡っ引の三河町の半七が、明治になって新聞記者のわたしに江戸時代に体験した事件の数々を語って聞かせます。

この半七が日本における名探偵のいわば長男ですが、作者はきちんと人物の履歴を作っています。

文政6（1823）年生まれで、木綿問屋の通い番頭半兵衛とお民の間に生まれ、若い頃に放蕩三昧、18

の時に御用聞き吉五郎の手下になり、岡っ引として頭角をあらわす。吉五郎の死後に娘のお仙と所帯を持ち跡目を継ぐ。4歳下の妹お粂は常磐津の女師匠。維新後に廃業し、わたしと知り合い、岡っ引時代に解いた事件の思い出を語る……。明治37（1904）年没、享年81。

というように。

この岡本綺堂の短編シリーズが嚆矢となり、以後いわゆる「**捕物帳もの**」というジャンルが誕生しました。**野村胡堂**の**銭形平次**、**佐々木味津三**の**むっつり右門**、**横溝正史**の**人形佐七**といった探偵たちです。

それぞれの探偵のキャラ造型の工夫は、本を読んで確認してもらうとして、まずは人物名に注目して下さい。

〝三河町の半七〟はシンプルですが、〝銭形平次〟であったり、〝むっつり右門〟、〝人形佐七〟というネーミングのかっこよさと、一度聞いただけで記憶にインプットされるわかりやすさを兼ね備えています。

野村胡堂は出版社から「半七捕物帳のようなものを」と依頼され、構想を練っていたら、建築現場で「銭高組」の看板をたまたま見た。これにヒントを得てその名前と、平次の武器として投石のように銭を投げる、という得意技を思いついたとか。相棒はガラッ八こと子分の八五郎。

むっつり右門は、同心の近藤右門のあだ名。相棒は岡っ引の伝六。

人形佐七は通り名で、人形のような美男子（今でいうイケメン）。元花魁で年上女房お粂と神田お玉が池に住んでいる。手下は江戸っ子の辰と上方っ子の豆六。

これを見てもわかるように、まずは**主人公の設定**を詰めて、相棒であったり**周囲の人物たち**を固めることで、物語の基本構造がはっきりします。それをベースに**どのような事件を起こすか？　トリックを駆使するか？**　でストーリーがカタチを成していくわけです。

ご存じ明智小五郎と金田一耕助

こうした捕物帳ブームと合わせて、やはりポーやドイルに影響を受けた作家こそが**江戸川乱歩**で、『**D坂の殺人事件**』に登場させたのがご存じ**明智小五郎**です。

明智小五郎はいわば、日本人探偵の第一号的な存在ですが、一般のイメージとしては、テレビドラマシリーズで天知茂が演じたダンディなスタイルが定着しているでしょう。

けれども乱歩が最初に書いた明智は、タバコ屋の二階に間借りする貧乏書生で、木綿の着物によれよれ兵児帯で髪はモジャモジャ、興奮するとその髪を掻き回すクセがあり（あれっ、誰かに似ている?）……となっていました。

これが後に、お茶の水の開化アパートに事務所を構え、上海帰りの背広を着こなす紳士に変わります。

で、その当初の容姿を受け継いだ感のある探偵が、**横溝正史**の**金田一耕助**です。初登場は『**本陣殺人事件**』で、スズメの巣のようなボサボサの髪で、皺だらけの絣の単衣と袴、形の崩れた帽子、汚れた白足袋に下駄履き。

初登場の時に「この青年は飄々乎たるその風貌から、アントニー・ギリンガム君に似てはしまいかと思う」と書かれています。この**アントニー・ギリンガム**は、**A・A・ミルン**の『**赤い館の秘密**』に登場する探偵で、これを日本に置き換えたと横溝は述べています。

乱歩が明智をダンディにしたので、意図的に当初の人物像を踏まえたということ。命名は尊敬する劇作家の菊田一夫にちなみ、菊田一にしようとしたが、言語学者の金田一京助の縁者の表札を見たことから、この珍しい姓を頂戴した。名前は京助をもじって耕助としたとか（ちなみに明智小五郎の命名に関しては諸説あって不明）。

ともあれ、明智小五郎と金田一耕助、そして（最近若干露出が減って影が薄くなったのですが）**高木彬光**が造った**神津恭介**（代表作『**刺青殺人事件**』）が、「日本の三大名探偵」と称されました。

まずは印象的な名前をつける

こうした今では古典ともいえる名探偵たちが長男だとすると、戦後から現在にかけてさまざまな個性的な次男、次女、弟、妹たちが登場し、今に至っています。あげて紹介するだけで一冊の本になってしまいそうです。

例えば、**レジナンド・ヒル**の**アンドルー・ダルジール警視**、**コリン・デクスター**の**モース警部**、ハードボイルドでは欠かせない**ダシール・ハメット**の**サム・スペード**、**レイモンド・チャンドラー**の**フィリップ・マーロウ**、**ミッキー・スピレイン**の**マイク・ハマー**、**ロバート・B・パーカー**の**スペンサー**、女性探偵では、**パトリシア・コーンウェル**の検屍官**ケイ・スカーペッタ**、**サラ・パレツキー**の**V・I・ウォーショースキー**、**トマス・ハリス**のＦＢＩ捜査官**クラリス・スターリング**などなど。

中でも私が愛読していてずっと追いかけていたのは、**ローレンス・ブロック**が生み出した、元もとは酔っぱらいのアル中探偵だった**マット・スカダー**。そして、**R・D・ウィングフィールド**の下品なジョークを乱発しながら獅子奮闘する**フロスト警部**の二人。

日本でもざっと思いつくだけあげても、**鮎川哲也**の**鬼貫警部**、**島田荘司**の**御手洗潔**、**東野圭吾**の**加賀恭一郎**、**京極夏彦**の**中善寺秋彦**に**榎木津礼二郎**、**内田康夫**の**浅見光彦**、**綾辻行人**の**島田潔**、**法月綸太郎**の探偵法月綸太郎、**西村京太郎**の**十津川警部**、**大沢在昌**の**鮫島警部**、**高村薫**の**合田雄一郎**、**桐野夏生**の**村野ミロ**、**宮部みゆき**の**杉村三郎**……。

やはりきりがありませんね。あの人が入っていないとか、怒らないで下さいね。あくまでも思いつくままざっとです。

「愛すべき変人」の探偵とすべし

こうした世界中のミステリー作家が生み出した名探偵たちですが、当然各キャラで違う造型がなされています。

ただ述べたように、日本の探偵たちはまず名前が凝っています。**キャラクター造型の第一歩はまず名前**です。登場するだけで、読者にインプットされる名前をつけましょう。

さらに、フィクション上の探偵たちの多くに共通する要素があります。それはおしなべて「変人」が多いということです。容姿だけでなく、一般人とは相容れない感覚だったり強烈さを有していることが多い。かなりの割合で性格破綻者だったりします。

もちろんそれは、**キャラクターを魅力的に描く**という作家のアプローチゆえに結果的にそうなったということも確かです。また、頭脳明晰な天才となるがゆえに、一般常識からかけ離れることが多くなる。そのバランスとして相棒は常識人を配分したりします。

これは現実とは真逆なことがおわかりでしょう。私も知り合いにプロフェッショナルな私立探偵さんがいますが、職業的な探偵は尾行をしたり、調査をするにおいて、できるだけ目立たないほうがいいと話していました。

ともあれ、主人公を探偵、もしくはシリーズものにする際に探偵役の造型が決め手になります。

そうしたキャラクター造型にぜひ活かしてほしいのが、前々著の『「超短編シナリオ」を書いて　小説とシナリオをものにする本』で提案したキャラクターシートです。

サンプルとしてシートに記入した（そういえばこの人がいた！）**『刑事コロンボ』**も掲載します。

コロンボは、演じたピーター・フォークの当たり役になったこともありますが、じつに魅力的な名探偵です。そしてどう見ても**愛すべき「変人」**です。

そう、上記に列挙した名探偵たちはただの変人ではなく、やはり「愛すべき変人」であることも共通項といえるかもしれません。

皆さんも優れたミステリーを書くためには、まずは探偵役の造型からスタートすべきなのです。

『刑事コロンボ』「権力の墓穴」のピーター・フォーク（右）
1974年　出典：ウィキメディア・コモンズ

キャラクターシート（例）

名前　（フランク？）・コロンボ
あだな
年齢　50～（？）
性別　男
職業　刑事
地位　ロサンジェルス市警察署・殺人課（警部補）

●容姿
いつもよれよれのコートを着ている。

●身体的特徴
小柄でもじゃもじゃ頭、典型的なイタリア系のじゃがいもみたいな顔。

●性格・クセ
見てくれとは違う理性派、粘り強い。ユーモアはあるが容疑者からは煙たい存在。殺害現場に安葉巻をくわえたまま遅れて現れる。怖がりで射撃や死体は苦手。

●嗜好、趣味、特技
好物はチリコンカン、休日にかみさんのために料理をつくる。イタリアオペラ好き。捜査のためにおしみない勉強をする。

●生い立ち、境遇
イタリア系、朝鮮戦争に従事したことがある。家族、特に妻をこよなく愛しているゆえに口癖は「うちのかみさん」。

●動機、物語との関わり
職業柄、殺人事件を捜査。地道で粘り強い捜査とわずかな証拠（犯人のミス）から追いつめていく。

●人物関係
毎回のライバルは、完全犯罪をもくろむさまざまな業界で活躍する容疑者（常にインテリ）。

愛妻や親族はセリフだけで登場しない。

●その他
愛車はボロボロのプジョー。ドックという名前のバセットハウンド犬を飼っている。

キャラクターシート（例）　※前ページを参考につくってみましょう

名前
あだな
年齢
性別
職業
地位
●容姿
●身体的特徴
●性格・クセ
●嗜好、趣味、特技
●生い立ち、境遇
●動機、物語との関わり
●人物関係
●その他

LESSON 6

刑事もの、警察ものの作り方

知っておきたい警察機構

ミステリーの主役というと、「(私立)探偵」ともう一人、堂々と捜査のプロフェッショナルと名乗れる「刑事」がいます。

当然、この刑事を主人公としたミステリーもたくさん(山のように)あって、読者(観客)に親しまれています。

あるいは、刑事たちだけでなく、総体として警察が舞台、題材とされるジャンルとして「警察もの」と称される場合もあります。

この「刑事もの」「警察もの」はとてもメジャーな世界、キャラクターなわけですが、書こうとすると結構やっかいだったりします。刑事の実態であったり、警察組織について知らないままに書いたりすると、たちまち「でたらめだ」「そんなことも知らないのか!」とつるし上げられます。

こうしたことについては、かなりややこしく、深掘りすると底が見えなかったりしますが、現在はネットとかで調べると、かなり細かく解説されています。いくつかポイントだけ述べておきましょう。

「私はデカです」はあり得ない?

まず「刑事」ですが、本来警察には「刑事」という肩書きはありません。ただし「刑事課」と呼ばれるセクションはあったりします。じゃあ、ドラマなどで、

アパートの住民「刑事さんですか? 何ですか?」

長さん「（警察手帳を掲げ）お隣に住んでいる鈴木さんですが……」

といったシーンがどうしてあるのか？（ちなみに、便宜上〝長さん〟としましたが、このいかにもなベテラン刑事風の通り名は使わないように）

ともあれ「刑事」は、警察の刑事部や刑事課に属して、主に刑事事件を担当する私服警察官を指します。

ちなみに「デカ」という俗称もありますが、これは明治時代の私服警察官が角袖の着物で、盗人たちから「そでかく」と称され、詰まって「デカ」になったと言われています。どちらかというと蔑んだ呼び名ですので、刑事自身が使うことはありえないわけです（自虐的ならばあるかも）。

刑事だって巡査？

ともあれ、交番とか白バイ警官の目立つ「警察官でございい」ではなく、捜査するのに私服のほうがいいので、刑事なわけですが、身分的には巡査とか巡査部長なのです。

この警察は一般人が思う以上に組織、階級社会です。これを知ったうえで書かないと、間違いなく突っ込まれます。知ったうえでの抜け道だったり、特別バージョンもあります。これについては後述。

まず階級身分ですが次のような階段になっています。

巡査
巡査長
巡査部長
警部補
警部
警視
警視正
警視長
警視監
警視総監

警察官になるとまず「巡査」からスタートします。昇進試験を受けて巡査部長や警部補に昇進。巡査長は実際の階級ではなく、巡査の経験が長い人（十年が目安）に与えられる。

警部補から警部に昇進するのはかなり大変です。

あと、大卒のキャリアと高卒で警察官になったノンキャリアでは、スタートラインが違っていたりします。「キャリア組」の定義は、一種国家公務員の採用試験を合格して警部補からスタートする警察官のことです。

こうした資格や役職については、ネットや警察関係の専門書を読みましょう。

キャリアは現場には行かない？

もうひとつ、（日本の）警察組織として知っておかなくてはいけないのは、警察庁と警視庁、各道府県の警察署があること。

警察庁は全国の警察組織をまとめる国の機関。ですから事件現場に出向いて行ったりしません。属しているのは国家公務員（キャリア）です。

警視庁は東京都をまとめる機関で、それぞれの地方には自治体による警察署（県警）があります。こちらは地方公務員ですが、警察庁から出向のキャリアもいます。

また、テレビドラマの『踊る大捜査線』でクローズアップされ、近年では『小さな巨人』とかでも描かれていた「本店」（本庁）と「支店」（所轄）という組織の関係性もあります。これは警視庁だけで、本店は警視庁自身を指し、所轄は各地区の警察署のことです。

ただ県とかでも「本庁」と言うことがあり、これは「警察庁」を指すので、ややこしい。

もうひとつ、警察組織の中の例えば警視庁の刑事部には、捜査一課、二課、三課、四課とあって、それぞれで扱う犯罪が異なります。

一番多く登場するのは、捜査一課で、殺人、強盗、暴行、傷害、誘拐、立てこもり、性犯罪、放火といった重要犯罪の捜査をします。これ以外にも組織内には、公安やら警らなど細かく分かれています。

スニーカーで捜査する合田雄一郎

ともあれ、刑事を主人公としてミステリーを描こうとした場合、**どの所属**で**身分**をどうするか？　といったことを決めて、**できることできないこと**、**どう事件と関わらせるか？**　仲間、同僚、上司などなども**人物配置**、**関係**も詰めたうえでプロットを練ることが不可欠となります。

いくつかサンプルになりそうな例をあげると、花形刑事としての警視庁捜査一課の刑事だと、**高村薫**の合田シリーズの主人公は**合田雄一郎**。

合田はノンキャリアで、所轄と本庁を行き来して、初出の『**マークスの山**』では33歳で捜査一課の警部補。『**照柿**』でトラブルを起こし、所轄の大森署（刑事課強行係々長）に左遷、その後、昇進試験をパスして、『**レディジョーカー**』では警視庁国際捜査課所属の警部。また最新作『**我らが少女A**』では、警察大学校の教授となり講義をしています。

ちなみに捜査一課にいた頃は、第三強行犯捜査第七係、強行犯というのは、殺人や傷害を捜査するセクションで全部で10班ある。

特技はバイオリン、白いスニーカーで捜査をし、考え事をする時はこのスニーカーをゴシゴシ洗うという場面が印象的です。

十津川警部の地方での捜査は合法？

西村京太郎のトラベルミステリーに登場する**十津川省三**警部も、警視庁捜査一課の刑事。初出は１９７３年で30歳の警部補という設定でしたが、その後も登場し続けているため、以後は40歳ということで固定されています（それは変だろ！　と突っ込んでもしょうがない）。

本来、警視庁であっても管轄外の事件は捜査できないのですが、物語では管轄内で事件が発生し、犯人や関係者が地方に移動するということで、日本全国であったり海外まで追いかけていく、という設定になっています。チームも十津川班です。

東野圭吾の**加賀恭一郎**は、初登場時（『**卒業**』）は東京大学らしい大学生で、遭遇した事件の謎解きをするシロウト探偵から、再登場時（『**眠りの森**』）は捜査一課の刑事、それから練馬署の巡査部長、さらに日本橋署の警部補と所轄へ移動したことになっています。

前記の合田雄一郎や加賀恭一郎のように、本庁から所轄に移動というのはあるわけです。ただし、東京の刑事が関西の某県に移動する、といったことはあり得ません。

ちなみに、加賀恭一郎シリーズでは、加賀の従兄の松宮脩平が警視庁捜査一課の刑事としてレギュラーメンバーとして配されていて、捜査面だけでなく加賀のプライベートにも踏み込みます。

合田雄一郎の場合は、元妻の双子の兄で検事の加納祐介がこの重要人物ポジションとして配置されています。

鮫島刑事はどうして単独捜査？

所轄の刑事というと、**大沢在昌**の『**新宿鮫**』シリーズの**鮫島刑事**。

この鮫島（名前は不明）は、もともとは国家公務員上級試験も合格したキャリアでしたが、その後に失脚、新宿署防犯課の警部。単独で捜査を行なう刑事という設定です。

刑事は原則として、捜査全体は組まれたチームで、さらには聞き込みなど実際の捜査は、二人一組で行なうことになっています。これも刑事もので踏まえなくてはいけないルールです。

これを破るために『新宿鮫』では、鮫島刑事は上記のようにキャリアだったけれど、警察内部の抗争に巻き込まれたゆえに、はぐれ刑事として単独捜査をしているとなっています。

テレビドラマシリーズで不滅の人気を得ている『**相棒**』も、主人公の**杉下右京**と相棒が所属するのは「特命係」となっていて、右京がそこに居座っているディテールが詰められています。

このように警察、刑事ものを書くためには、踏まえなくてはいけない基本や常識があるのですが、それを知ったうえで、**フィクションとしての例外**を作ればいいわけです。「**ワニ分署**」や「**草壁署迷宮課**」「**科捜研の女**」というように。もちろん、それが読者（観客）に認められるように設定とディテールを詰める必要がありますが。

刑事は公的な名探偵

ミステリーとしての基本構造は同じです。探偵役が公的な捜査権を持つ刑事になる。レッスン5で名探偵として名前をあげた「刑事コロンボ」は、ロス警察所属の警察官ですが、ほとんど単独行動ですし、「刑事もの」というよりは、「推理もの」のジャンルでしょう。

例えば、映画化、ドラマ化された**横山秀夫『64』**の主人公**三上義信**は、(特定されていない)D県警察本部の警務部秘書課調査官〈広報官〉で階級としては警視。それまでは現場の捜査を行なう刑事でしたが、現在は広報室の責任者。

広報室はマスコミ対応がメインの仕事で、情報を求める記者と現場の捜査官との板挟みで苦しんでいる。

この三上を中心に、わずか7日間しかなかった昭和64年に、D県で起きた少女誘拐殺人の時効が迫る最中に、真相と予想外の結末が明らかになるという物語。

警察組織内の軋轢、マスコミとのかけひき、主人公個人が抱える家庭内問題などが複雑に絡み合いながら、緊迫する誘拐事件も描かれるというリアルで複合的なミステリーになっていました。

ともかく、「刑事もの」の基本的な展開は、

1 不可解な殺人事件が起きる

2 警察が捜査を行なう。主人公の刑事が登場

3 事件の詳細(散逸する手がかりを示す)

4 捜査会議が行なわれる(捜査のチームが示される)

5 解明の障害・謎が立ち塞がる(組織内のあつれき、対立など)

6 解決の決定打が見つかる(容疑者が多数浮上)

7 意外な犯人、真相が明らかになる

といった流れが基本型です。

ただ「刑事もの」はしばしば「警察もの」と言われるように、主人公が刑事であるがゆえに、必ず警察組織が関わってきます。

殺人事件となると、捜査本部が置かれて、チームで捜査が行なわれる。主人公はその組織、チーム内のどのようなポジションなのか?

基本刑事は二人一組で捜査を行なうと述べましたが、主人公と組む相棒をどのようなキャラクターにするか?

さらには捜査チームのトップなり、組織としてのしがらみなどなど。

こうしたことが無視できないために、刑事ものは組織機構を熟知したうえで書くことが求められるわけです。

合法的アクションなら刑事に限る

少しだけ海外ミステリーにおける刑事もの、警察ものについても触れておきます。基本は同じで、警察署内で捜査の専門家である刑事が事件に向かいあう。

古くはジョルジュ・シムノンのメグレ警視。J・J・マリックのジョージ・ギデオン警視。エド・マクベインのスティーブ・キャレラ刑事。マイ・シュベール&ペール・ヴァルーのマルティン・ベック主任警部。

近年でもR・D・ウィングフィールドのジャック・フロスト警部。イアン・ランキンのジョン・リーバス警部、ヘニング・マンケルのクルト・ヴァーランダー警部、ピエール・ルメートルのカミーユ・ヴェルーヴェン警部……。

ここにあげたのはほんの一部ですね。アメリカは刑事ドラマのシリーズが百花繚乱状態です。火付け役となった『24』を筆頭に、『ハワイファイブオー』『キリング』『クリミナル・マインド FBI行動分析課』『CSI科学捜査班』などなど。

これらはシリーズ化として続けていくという当初からの狙いがあるために、チームものが多いようです。で、アクションが主流になっています。

刑事アクションか名探偵刑事か？

話が前後しますが、いわゆる「刑事もの」も、アメリカ映画などは主人公の警察官が犯人ないし、犯人グループとバンバン銃撃戦をする。これを見せ場とする**アクション主体**のものと、地道な捜査をしていき、犯人にたどりつくといった**推理主体**に大別できます。

アクション主体の刑事ものの代表なら例えば古くは**『リーサル・ウェポン』**や**『ダーティハリー』**だけど、上記の**『刑事コロンボ』**では、コロンボは決して銃をぶっ放したりしません。

日本の場合は、銃犯罪というと、どうしても暴力団がらみになったりして、アメリカ映画のようなアクションは作りにくくなります。

ただテレビドラマシリーズの『相棒』は謎解き主流ですが、映画化される作品では爆弾テロ犯と戦うといったアクション要素も加わっています。

ともあれ、刑事ものであっても、どちらのジャンルとするかで、アプローチがまったく違ってきます。むろん、真犯人なり真相を追いかけつつ、見せ場として銃撃戦、アクションがあって、という作りもこのジャンルの醍醐味です。多くはこの両方の要素を入れて展開するわけです。

映画にはアクション刑事

アメリカにも刑事ものミステリーはたくさんあります。名探偵のところにあげましたが、頭脳明晰で地道に推理する刑事たち。

小説以上に目立つのは、映画の世界で「刑事もの」はひとつのジャンルとなっています。

ざっと思いつくままに名作刑事映画をあげると、**『ブリット』『ダーティハリー』『フレンチコネクション』『夜の大捜査線』『刑事ジョン・ブック目撃者』『48時間』『アンタッチャブル』『ダイハード』『羊たちの沈黙』『ビバリーヒルズ・コップ』**……。

いわゆるミステリー主流もありますが、やはりガン社会ゆえのアクションものがメインになっています。

それはともかくとして、邦洋を問わず、刑事ものの主人公は警察組織の一員でありながら、やはり個性的です。

　日本の刑事というと、ヨレヨレのコートにハンチングで、靴をすり減らして聞き込みをして、というイメージがどうしてもつきまといますが、作家たちはけっして、主人公たちをそんなパターンに造型していないことを確認して下さい。

　刑事ものを書こうとするには、主人公の所属や身分を詰めたうえで、**個性**を与えるようにしましょう。

刑事部	
刑事総務課	（刑事警察の管理）
捜査第一課	（殺人・強盗・強姦・放火などの強行犯捜査）
捜査第二課	（選挙違反・贈収賄・詐欺などの知能犯捜査）
捜査第三課	（スリ・窃盗・ぞう品などの盗犯操作）
捜査第四課	（暴行・恐喝・賭博などの暴力犯捜査）
暴力団対策課	（民事介入暴力事件犯の対策）
捜査共助課	（指名手配・追跡捜査・護送など、道府県警察との捜査協力）
国際捜査課	（国外逃亡事案・国際捜査共助）
鑑識課	（刑事部が捜査する事件の鑑識活動）
科学捜査研究所	（捜査に関連する科学を応用した鑑定）
機動捜査課	（重要事件の初動捜査、3隊編成）

警視庁刑事課の組織（所轄署の構成もこれに準じている）

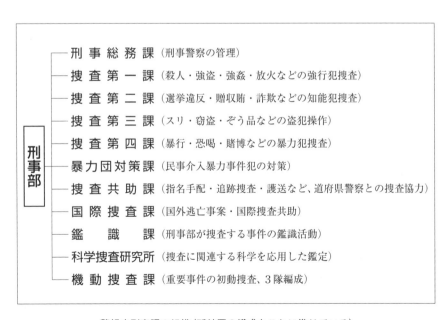

LESSON 7 スパイになるための必要事項

日本でスパイといえば、これしかない

レッスン6の刑事ものは、現実と即していたり、実際に我々の日常と密接な関わりがあるために、フィクションの世界でも登場させやすい（基礎を踏まえたうえで、というのは述べた通りですが）。

なにしろテレビドラマで一番人気があって、視聴率も安定しているのは、刑事ドラマだったりします。刑事ならば、殺人事件が発生すると現れて、警察手帳をポケットから出して、といったイメージが浮かびやすい。

それに比べて、このレッスン7の「スパイ」はそうはいきません。テレビドラマや映画とかで（日本では、ですが）「スパイもの」といわれてもなかなか浮かびません。

そもそもスパイとは何者なのか？

これを定義する前に、じつは日本でも「スパイ」のイメージが浮かびやすいジャンル、職種ものがあります。

それは何かというと、**「忍者」**！

なあんだ、と思われるかもしれませんが、でも「なるほど」と思われるのではないでしょうか。

日本における忍者の起源は諸説あるようですが、ものの本によると、日本書紀に、神武天皇の東征の折に、大和国忍坂村（名前からしてそれっぽい）で、天皇側近の道臣命なる人が、諷歌倒語（とはどんなものか？何か味方にはわかる暗号みたいなものらしいけど、よくわからないです。興味のある方は調べてみて）により賊を破った、という記述があるとか。これを忍者一

号とする説。

もうひとつの説では、いまだに日本の修行者の祖として名前が伝わる役行者の小角を甲賀、伊賀流の祖とする。

そうした始祖はともかく、戦国時代となると、各地を治める戦国大名が、積極的に忍びの者を使って、勢力拡大、防御のために使った。

江戸時代になって、こうした戦国時代の忍びは働き場を失っていったのですが、それでも徳川幕府は伊賀者であったり、お庭番といった者たちを抱えて、体制維持に使いました。

つまり、国家とか、その土地の施政者と結び付いて、情報活動をしたり、陰でさまざまな企みをする者たち、一族、機関、組織があって、それらを総称して日本では「忍者」と称した。

この役割はすなわち「スパイ」そのもの、違和感がないのです。

戦争と密着するスパイ

戦国時代から泰平の江戸時代になって、忍者は活動の場がなくなったように、今の日本も太平洋戦争後の昭和、平成といった平和（に思えるかもですが）な時代が続くと、スパイの活動も表に見えにくくなっています。

映画で振り返るとわかりやすいのですが、邦画でかつてシリーズ化された『**陸軍中野学校**』があります。まさにこれはスパイ映画でした。

実際に戦争を控えた時期に、日本陸軍内に設立されたスパイ養成の学校を題材に、戦後の１９６６年に当時の大スターだった市川雷蔵主演で第一作が製作され、以後四作撮られました。

このシリーズは陸軍中野学校について書かれた本を参考にしていますが、オリジナル脚本です。

それ以外の忍者ものは枚挙にいとまがなく、今でも時代小説だけでなく、国際的にも認知され、日本が生んだスパイキャラクターになっています。

これに対して陸軍中野学校は映画以外では、2008年に**柳広司**が書いた『**ジョーカー・ゲーム**』くらいしかありませんが、以後、「D機関」シリーズとして続いています。

もうひとつ実在したスパイには、数奇な運命を辿り、関東軍のために諜報活動を行なった男装の麗人こと**川島芳子**がいて、彼女を描いた小説や映画、ドラマはたくさん作られました。

公安こそがスパイ活動

ともあれ日本で「スパイもの」というと、具体例が出にくくなるように見えますが、じつは（忍者を除いたとしても）それなりにあります。

というのは、今でも日本政府内にスパイと位置づけられる部門、職種、つまり諜報機関があり、国家のために働いている人たちがいるからです。

いわゆる「**公安警察**」です。各警察本部内に「公安課」ともうひとつ「外事課」というセクションがあって仕事（諜報活動）を行なっている。さらに警視庁には「公安部」があって2000人あまりの職員がいるとか。

他にも法務省にも「公安調査庁」がありますし、自衛隊内にも「防衛省情報本部（通称DIH）」という組織があって、防衛に関する諜報活動を行なっているとか。

こうしたセクションは、刑事と違ってほとんど公にされていないために、一般庶民には親しみがない。

けれどもテレビドラマを例にすると（刑事ものの一部とされているのですが）、公安や外事警察で働く主人公たちのドラマはいくつか作られています。

例えば、2017年春クールの小栗旬と西島秀俊主演の『**CRISIS 公安機動捜査隊特捜班**』は、テロリストと戦う公安警察官のドラマでした。

あるいは2007年にNHKでドラマ化された『**外事警察**』は、警視庁外事課の捜査官がテロリストと戦う物語。

公安の敵はテロリストだけか？

これらは、今までにないタイプの刑事ドラマとして評価も高かったのですが、それにしてもカテゴリーとして「刑事もの」とされていて、いわゆる「スパイもの」には入れられていません。

これはひとつは、今の国際状況などが影響し、対テロリストという構造がベースにあって、それに即した捜査活動＝公安となるからでしょう。

公安警察がテロであったり、日本に入りこむスパイを主な捜査対象とするせいですが、本来は国家（あるいは広義には世界平和）のために働く人間がスパイなわけで、そうした活動を描くドラマなりが描きにくい。

日本におけるスパイの元である忍者の活動にしても、対テロというよりも、所属する幕府であったり大名、あるいは個人として、**諜報活動**を行なう。具体的には、**要人暗殺**、**盗み**、**破壊工作**など、さらには**情報収集**や**情報操作**といった活動が主にあって、アクションとして描かれることが多い。

実際は公安に所属する捜査官は、秘かに似たような活動をしているはず（暗殺やアクションは別としてですが）。それはドラマにしにくいと思われるのか、企画として通りにくいようです。

ただ、日本では数は多くないのですが、ミステリーの中のスパイものは、上記の柳広司氏以外にも、**高村薫**に『**リヴィエラを撃て**』や**五條瑛**の『**プラチナ・ビーズ**』といった作品もあります。

スパイのスターこそジェームス・ボンド

これは日本におけるこのジャンルの傾向なわけですが、エンタメの本場のアメリカとかでは、このスパイ物は百花繚乱、いくらでも具体例があります。

その前に、「スパイもの」と言われて、真っ先に何が挙がるか？

誰もが思い浮かべるのは「**007・ジェームス・ボンド**」ですね。

探偵ものの嚆矢がシャーロック・ホームズであるように（もっとも『**最後の挨拶**』など、ホームズものの数編はスパイものともいえる)、スパイといえばジェームス・ボンド。

イギリスの作家**イアン・フレミング**が1953年に書いた『**カジノ・ロワイヤル**』が最初です。フレミング自身が第二次大戦時にイギリス海軍情報部に所属、その体験を元に生み出した主人公です。

今でいえば間違いなく「スパイもの」ですが、フレミングが書いたのはどちらかというと冒険小説で、主人公が冒険(アクション)を繰り広げ、出会う美女との濡れ場を演じるために、行動派のスパイというポジションが定着しました。

ちょうど米ソの冷戦時代で、初期映画シリーズ1の名作とされる『**ロシアより愛をこめて**』で、ショーン・コネリー扮するボンドが恋に落ちるヒロインは、ソ連のスパイで、クライマックスはオリエント急行内でのソ連の殺し屋との死闘でした。

ともあれ、007は映画向けの原作としてツバがついて、大ヒットシリーズとして、ボンド役に旬の男優を起用しながら今も続いているのはご存じの通り。

東西冷戦時代が終わっても、北朝鮮だったりイスラム系のテロリストだったり、世界征服を狙う巨大企業だったりが敵となり、世界平和のためにイギリス課報員のボンドが戦いを繰り広げるシリーズと変化しています(それともうひとつの見せ場はボンドガールとのからみ)。

そもそもの原作から大きく飛躍して、地球を股に掛けてアクションを繰り広げるヒーローものになったといえるわけです。

ル・カレのリアルなスパイたち

この007が**動**(アクション)の「スパイもの」の代表とすると、**静**(リアル)な「スパイもの」のジャンルがあって、その代表的な作家こそ**ジョン・ル・カレ**(やっぱりイギリス人作家!)でしょう。

カレも教師を経て英国外務省内のMI6で働いていて、その経験を活かしてスパイ小説を書くようになりました。残念ながら2020年末に訃報が伝えられました。

出世作は1963年(ボンドから10年後)に出され

た『**寒い国から帰ってきたスパイ**』。やはり東西冷戦時代に、壁で隔てられたベルリンを舞台に、敵か味方かわからないスパイのかけひきが描かれました。

007が敵味方がほぼはっきりしていて、アクションが主流だったのに対して、ル・カレのスパイものは、サスペンス、二転三転する展開、さらに国家の思惑に翻弄される**スパイの人間ドラマ**が主流になっています。

ル・カレには、『**ティンカー、テイラー、ソルジャー、スパイ**』から始まる3部作**スマイリーシリーズ**もあります。

これは引退した諜報部（通称サーカス）の職員スマイリーが、〝もぐら〟というサーカス内に潜んでいるソ連のスパイをあぶり出そうとする物語。『ティンカー、テイラー〜』は2011年に『**裏切りのサーカス**』という邦題で映画化されていますが、この他にも『**テイラー・オブ・パナマ**』や『**誰よりも狙われた男**』など、多くが映画化されています。地味ながら骨太なサスペンスと人間ドラマゆえでしょう。

CIAとFBIはどこが違う？

海外ミステリーには、007やカレ以外にもスパイものの名作はたくさんあります。

イギリスの諜報機関はMI6が浮かびますが、アメリカはCIAです。

ところでアメリカにはFBIもあります。知っているようで意外と知らないのですが、両者の違いを簡単に説明しておきましょう。

どちらもアメリカ合衆国の公的機関ですが、**CIAは「中央情報局」**で、**FBIは「連邦捜査局」**です。

CIAは主に、アメリカの安全保障の観点から、他国の政治や軍事、経済に関する情報収集、諜報活動を行ないます。こっちがかなりスパイっぽい。

FBIはアメリカ合衆国の司法省に属していて、テロやスパイを対象とした公安事件、さらには政府内の汚職やコンピューター犯罪、銀行強盗や組織犯罪など、州をまたぐ広域捜査を行ないます。こっちはこっちでやはりスパイの仕事という感じです。

ＣＩＡもＦＢＩも映画でおなじみでとても全部を挙げられませんが、代表的なものをご紹介すると、ＣＩＡならば**ロバート・ラドラム**原作による**ボーンシリーズ**。

主人公の**ジェイソン・ボーン**は元ＣＩＡの暗殺者で、記憶喪失であるがゆえに、自身と彼を抹殺しようとする組織との戦いをリアリティ＋アクションで描いています。

イーサン・ハントは非合法組織

もうひとつ、ＣＩＡではなく架空の組織ＩＭＦで、極秘任務を遂行するサスペンステレビドラマとして制作されたのが『**スパイ大作戦**』。

これが映画で、よりアクション度を増して生まれ変わったのが、トム・クルーズ主演による『**ミッション・インポッシブル**』シリーズでした。**ハント**はチームを率いて、世界の平和を守る闘いを繰りひろげています。

ボーンシリーズやこのイーサン・ハントシリーズがスパイでありながらもアクションが多いように、アメリカ映画の場合は００７型が多いようです。アンジェリーナ・ジョリー主演の『**ソルト**』、ＭＩ６ですが、シャーリーズ・セロンのアクションもの『**アトミック・ブロンド**』は快作でした。

とはいえ、シリアス系でも実話を元にしたナオミ・ワッツとショーン・ペン主演の『**フェア・ゲーム**』や、**ベン・アフレック**監督・主演の『**アルゴ**』、ビン・ラディン暗殺をリアルに描いた『**ゼロ・ダーク・サーティ**』などもありました。

これに対してＦＢＩのほうは、真っ先にあがる傑作は『**羊たちの沈黙**』。原作は**トマス・ハリス**で、これはむしろハンニバル・レクターシリーズともいえるのですが、ＦＢＩ捜査官の**クラリス**（第一作の主演はジョディ・フォスター）が、捜査をしていく。

こちらのＦＢＩもアクションからシリアスまでたくさんあります。悪名高きＦＢＩ長官フーパーの生涯を描いた『**J・エドガー**』から、ＦＢＩの潜入捜査官を主人公とした『**フェイク**』、アクションならば『**フェイス／オフ**』や『**ハート・ブルー**』『**マーシャル・**

ロー』『**ワールド・オブ・ライズ**』などなど。シリアスな組織内部なら、**ロバート・デ・ニーロ**監督・主演の『**グッド・シェパード**』など。なにしろCIA、FBI、さらにはMI6、ロシアの諜報機関（これはソ連時代はKGBで、現在はCBP、SVRなどいくつか。近年ではジェニファー・ローレンス主演の『**レッド・スパロー**』）というように、新作が次々と作られています。

いでよ、現代版スパイ（忍者）もの

映画から離れてスパイものの名作ミステリーに戻って何作か挙げると（ほとんどが映画化されていますが）、上記のル・カレ以外でイギリスでは、**グレアム・グリーン**の『**ヒューマン・ファクター**』『**ハバナの男**』、**ブライアン・フリーマントル**の『**消されかけた男**』などチャーリー・マフィンシリーズ、**ケン・フォレット**の『**針の眼**』、**フレデリック・フォーサイス**の『**ジャッカルの日**』や『**第四の核**』などなど。

このようにスパイもの、スパイミステリーはイギリスの独壇場でしたが、上記のボーンシリーズの生みの親**ロバート・ラドラム**が『**暗殺者**』でジェイソン・ボーンシリーズを、**トム・クランシー**は『**レッド・オクトーバーを追え**』などのジャック・ライアンシリーズなど、アメリカが主流になっています。

このように向こうのスパイものは、次々と映画化されているように、過去の大戦はもちろん、現在の戦争や紛争が背景になっていたり、世界を舞台とした壮大なアクション、さらにはスパイ同士のかけひき、裏切りやコンゲーム（については別項100頁〜で詳しく）サスペンスというように、まさに百花繚乱です。

このようにスパイものは、それこそ国別、時代別などでもさまざまです。大まかに分けると、**アクション**を主流とするものと、スパイならではの能力、かけひき、だまし騙されといった**サスペンス系**に分けられるかと思います。もちろん『スパイ大作戦』のように、両方の要素を巧みに折り込んだ妙味も、スパイものの醍醐味といっていいでしょう。

そうしたおもしろいスパイものとするためには、まずは主人公にスパイとしての**卓越した能力**を与える。

格闘術や銃といったアクション要素だけでなく、**工作術や特殊な技能**といったことをきっちり詰めておく。

その前に**どういう組織**にいるのか、いたのか、どのような**任務**を担っていたのか？　ということも固めておく必要があります。

こうした慣れない要素もあるせいか、日本は対テロの公安ものはそれなりに書かれていますが、壮大なスパイアクションやサスペンスで目立つ作品がありません。

それは日本という国の現状が、スパイものに不向きだということや、前述した組織が不透明ということもあるかもしれません。

ただ、日本には長年忍者ものという世界に通用する系脈もあります。新しいスパイもの誕生の下地はあるかと思う次第。トライして下さい。

『スパイ大作戦』のロゴ　出典：ウィキメディア・コモンズ

LESSON 8 大逆転無罪を勝ち取れ！が法廷ものの醍醐味

日本では有罪率99・9％

数年前に続編がオンエアされ、高視聴率をとったミステリードラマが『**99・9―刑事専門弁護士**』（第一シーズン2016年4月～、第二シーズン2018年1月～）でした。松本潤扮する弁護士の深山がいる弁護士事務所が、チームワークを駆使して、無実を勝ち取っていく。

タイトルの意味は、日本の刑事事件における裁判では有罪率が99・9％という事実から、残りの0・1を勝ち取る（毎回！）ことを目指すという意味。

日本は特に、かもしれませんが、現実はほぼこの通りなのでしょう。それはそれとして、法廷をメインの舞台としたこの「**法廷もの**」（最近では**リーガルサスペンス**という名称も）の醍醐味は、この数少ない無罪判決を勝ち取るドラマといってもいいでしょう。

あるいは逆に「有罪」を勝ち取る場合もあってそれは、相手が国家であったり大企業といった巨大な権力を持つ側で、主人公側は庶民、弱い立場にあって訴えを起こす。巨大権力側は万全の弁護団を率いて、弱者である原告を潰しにかかるが、法廷という試合場で対等に戦い勝利を得る、という設定となります。

原型はやっぱりクリスティ

法廷もの名作はたくさんありますが、雛形、原型としてのサンプルは、**アガサ・クリスティ**による『**検察側の証人**』でしょう。

これは短編小説ですが、クリスティ自身が戯曲化して舞台劇としても上演されています。**ビリー・ワイルダー**が映画化し『**情婦**』という邦題で公開されました。

弁護士のウィルフリッド卿が青年レナードの弁護をする。レナードは金持ちの未亡人殺しの容疑で逮捕され裁かれようとしていた。物的証拠はないが、状況証拠は彼の犯行だと示していた。

レナードの妻クリスチーネに証言を依頼するが、彼女は非協力的なだけでなく、法廷には検察側の証人として現れ、レナードに不利な証言を行なう。

ウィルフリッド卿は彼女を法廷にて追い詰めていくと……。

ここから、逆転に次ぐ逆転の展開となり、最後に意外な結末となります。

法廷を舞台に、被告や新たに現れる証人を弁護士や検事が追及していき、**嘘や真実が暴かれていく**。そのおもしろさが法廷ものの醍醐味なわけです。

ワイルダーの傑作映画『情婦』では、ウィルフリッド卿をチャールズ・ロートン、レナードをタイロン・パワー、妻のクリスチーネをマレーネ・ディートリッヒが演じています。

法廷もののオーソドックス基本型

この不利な状況に置かれた被告の無罪を勝ちとるために、担当の弁護士が巨力な検事側と戦う、というオーソドックス法廷ものの基本型はシンプルな構造となります。

代表的な造りとしては例えば、

1 殺人事件発生
2 犯人逮捕
3 担当弁護士登場
4 巨大な敵（検察側＆警察）
5 捜査検証（圧倒的に不利な証拠）

6　第一回公判（勝ち目なし）

7　チームの亀裂 or 敵と取り引き（葛藤、サスペンス要素）

8　新たな証拠、証人発見

9　最終公判（大逆転）＆無罪獲得と真実解明

主人公は通常、弁護士（事件に切りこもうとする検事の場合も）で、正義感に燃えて（動機）、巨悪（法律）と戦って、無罪を勝ち取る（目的）となります。

弁護士や検事は副主人公で、罪人にされてしまう被告を主人公側とする場合もあります。

ディスカッション裁判劇もある

また上の流れは事件からスタートしていますが、弁護士側が主人公の場合は、弁護事務所に依頼者がきて、「これこれこういう事件で逮捕された○○を弁護してほしい」という依頼があって、事件のあらましが語られて、主人公が捜査を始めて、という構造になります。

これは私立探偵ものと同じです。

ともあれ、弁護士を主人公とした場合は、受け持った被告の無罪を信じて法廷で勝とうと奮闘する。

この場合、被告は本当に無罪であって（善人側）、正義のために原告側（悪人側）と戦う、という真っ当な構造を持つわけです。

こちら側の正義感にかられた弁護士が、という設定の場合は、弁護（被告）側が圧倒的に不利な状況にあり（凶器などの証拠、目撃者、動機といったものが揃っている）、その状況を弁護士側が一歩一歩、検証しなおして、疑問を洗い直していく。そこから、新証拠、新証言者などを見つけ出し、クライマックスの公判でそれを突きつけて**逆転無罪**を勝ち取る。

このオーソドックス法廷ものの場合、通常は数度の裁判所内の公判場面が配置されます。最初の公判は事件の概要が示される（被告の圧倒的不利）、さらに追い込まれる二度、三度目の公判が中ほどにあり、クライマックス部の公判（もしくは判決が下される法廷）で逆転する。

例外としては、密室劇のディスカッションドラマでもある映画**『十二人の怒れる男』**（1957年製作）。ある殺人事件で逮捕された17歳の少年の有罪無罪を陪審員たちが検証していく。

この傑作を日本に置き換えた舞台劇が、**三谷幸喜**の**『12人の優しい日本人』**です。これは法廷がほとんど出てこない法廷ものです。

どんでん返し型法廷ものの場合

けれども、弁護士が裏切られるというケースもあったりします。これがいわゆる〝**どんでん返し**〟というミステリーの醍醐味として使われる場合もあります。

最後に無罪を勝ち取って、という終わり方を目指すのが、この法廷ものの基本路線になりますが、そこからさらに別の真相が明らかになって……。

『検察側の証人』はまさに別のどんでんが用意されていますが、こうした構造を巧みに活かした法廷ものの映画では、**『白と黒のナイフ』**（1986年公開映画）や**『推定無罪』**（1988年・原作**スコット・トゥロー**／映画化90年）、さらには**『真実の行方』**（1993年・原作**ウィリアム・ディール**／映画化96年）と、いくつも挙がります。

こうした**二転三転型のミステリー構造**を活かす法廷ものと、まっとうに**正義感に燃える弁護士**とするか、主人公のキャラクターなり設定がポイントになります。

弁護士事務所の個性ある仲間

もうひとつ、近年の弁護士もの、リーガルサスペンスものに顕著がスタイルがあって、いわば「**法律事務所サバイバル群像もの**」という形式が多いようです。

これはアメリカのテレビドラマシリーズの影響で、

日本もそのスタイルを踏襲しています。

ここのところ、翻訳小説よりもネット経由でアメリカのドラマを見るユーザーが増えていて、日本のテレビドラマもそれをマネ、もしくはわざわざ翻案して連続ドラマにしたりしているわけです。

おそらく嚆矢となったのは、NHKで1998年からシーズン5までオンエアしてブームを作った『**アリー my love**』でしょう。

女弁護士のアリーが主人公ですが、彼女が知り合いの法律事務所に所属し、毎回のさまざまな事案を処理しながら、彼女自身の恋愛や私生活も描かれる。

主人公のアリーが中心ですが、事務所の所属する仲間やライバルの弁護士やスタッフたちの個性を際立たせて、**群像劇**としてのおもしろさを長いスパンで描いていきました。

その後も『**ボストン・リーガル**』（『アリー〜』の脚本や製作を手がけたディビット・E・ケリー）であったり、日本版にも置き換えられた『**SUITS／スーツ**』や『**グッド・ワイフ**』と『**グッド・ファイト**』。さらには人間入れ替わりのファンタジー要素まで入った『**私はラブ・リーガル**』というように。

このジャンルでもわかるように、決め手は**主人公弁護士のキャラクター**でしょう。これにプラスして、主人公のライバルや助けるチームの**メンバーの個性**を際立たせる。

リーガルサスペンスに限りませんが、この手の新しいミステリーのヒントは、おもしろさを徹底追求しているアメリカの連続ドラマを研究することです。

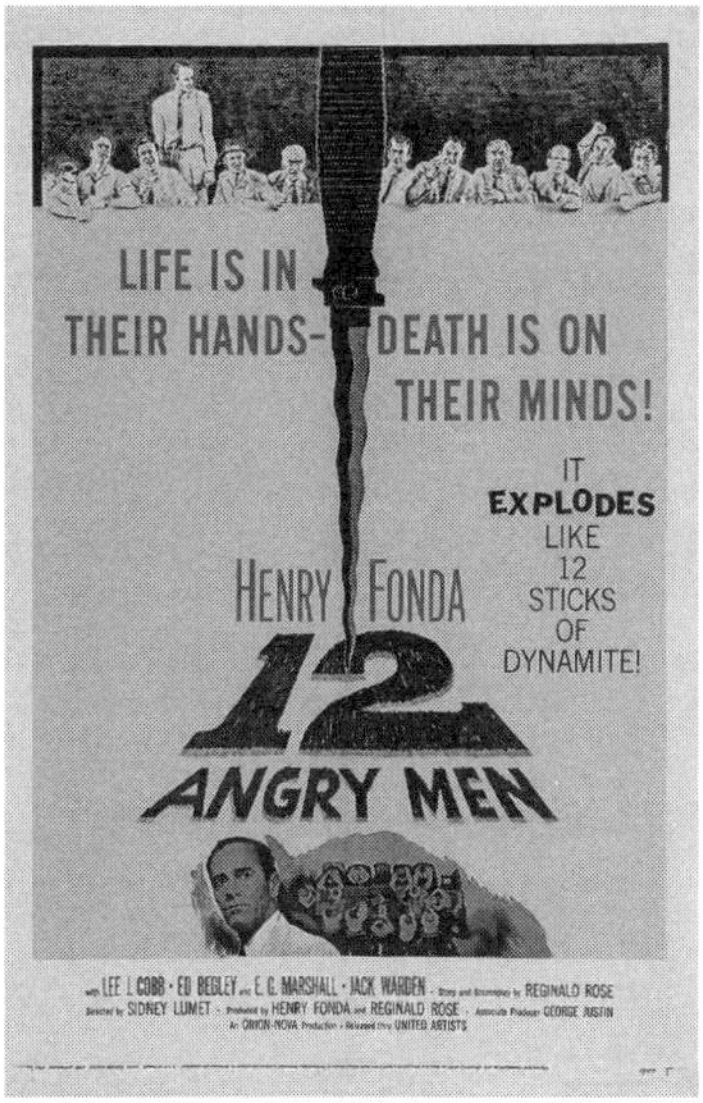

『十二人の怒れる男』のポスター、1957年
出典：ウィキメディア・コモンズ

LESSON 9

シロウト探偵は逃亡者になる?

シロウト探偵か巻き込まれ型か

警察手帳（身分証）を持った刑事は公務員で、私立探偵は職業として認められ（事務所を開くのに届けをしたり、免許があったりするが）、依頼者から報酬を得て捜査を行なうプロです。

弁護士は探偵ではありませんが、法律の元に犯罪に向かい合ったり、真実なり正義を追求する職業です（そうあってほしいという願望を込めて）。検事や裁判官、さらにはそれぞれの職能を活かして犯罪に向き合うプロフェッショナルを主人公とした物語もたくさんあります。

例えば、**監察医**とか**法医学者**、**税務調査官**、**保険調査官**、**万引きGメン**といった人たち。

これに対して、直接犯罪や法律の専門家ではないけれど、何らかのきっかけで関わるはめになって、謎を解いたり事件を解決したりする。これをひっくるめてカテゴライズできるのが、いわゆる**「シロウト探偵もの」**です。

もうひとつ〝探偵〟とはいえないけれど、本人の意志に関係なく事件に関わってしまうミステリー設定もたくさんあります。多くは我が身にとんでもない殺人の容疑なり、濡れ衣が降り掛かってしまって、その容疑を晴らすために必死に捜査側（警察）とかから逃れながら、真相なり真犯人、黒幕を暴くために頑張るといった物語も。

こちらはほとんどがレッスン3で述べた、物語の型⑤の**「巻き込まれ型」**という構造をとります。

むろん、「シロウト探偵もの」の場合も、その主人公の動機として、巻き込まれではなく、積極的に事件に首を突っ込んでいく、すなわち「サクセスストーリー型」の場合もありますが。

派手な帽子の女はどこに?

「シロウト探偵」を語る前にまず、ミステリーの代表のひとつとして、この「巻き込まれ型」で、いやがおうもなく逃亡をしながら、事件の真相を解明していくという設定の物語について、基本を理解しましょう。

このスタイルを得意としたミステリー作家は、**ウィリアム・アイリッシュ**(別名義コーネル・ウールリッチ)です。

アイリッシュの代表作こそが『**幻の女**』で、2013年版「東西ミステリーベスト100」では第4位(1985年版では第2位)です。あらすじは、

スコット・ヘンダーソンは、妻マーセラと離婚しようとしていたが、マーセラは承知しない。妻と喧嘩別れした後で、たまたま立ち寄った酒場で、奇妙な帽子を被った女と知り合い、妻と行くはずだった劇場に誘い食事をして別れた。

帰宅すると刑事が待ち構えていて逮捕される。マーセラが絞殺されていて凶器はヘンダーソンのネクタイだった。

ヘンダーソンは帽子の女と一緒だったと、アリバイを主張するが、酒場のバーテンやタクシー運転手ら誰ひとり、女のことを覚えていない。ヘンダーソンに死刑判決が下り、執行の日が刻々と近づいていく。

ヘンダーソンには、妻と別れて一緒になろうとしていた恋人のキャロルがいた。キャロルはヘンダーソンの友人のジャックと共に、幻の女探しを始める……。

章立ては第一章「死刑執行前 百五十日」から始まり、有名な書き出しは、〝夜は若く、彼も若かったが、夜の空気は甘いのに、彼の気分は苦かった〟。

章ごとにカウントダウンしていく「**タイムリミット」もの**でもあります。

この小説の場合は、巻き込まれて無実である主人公は牢屋にいて、彼に代わって捜査をするのは、恋人の

キャロルと親友のジャックです。

それはともかく、奇妙な帽子を被った（とても目立つ）女の存在をどうして皆が否定するのか？　妻殺しの真相、真犯人は誰なのか？　この大きな謎を最初に提示して、探偵役が捜査をしていく。

タイムリミットがあるために、サスペンス性も増していく。そして明かされる意外な真実（どんでん返し）、という点でも秀逸な名作です。

無実を晴らすための犯人探し

この『幻の女』と同列で、傑作とされる**アイリッシュ**の名作が『**暁の死線**』。

これも「タイムリミット」ものですが、深夜の午前1時に事件が起きて、朝6時に出発するバスの時刻までという短さです。

シロウト探偵として事件を追うのは、踊り子のブッキー。知り合った同郷の青年クインの無罪を晴らすために、二人で真相を追いかけます。

ブッキーはクインが行なった（軽い）犯罪のために、事件に巻き込まれてしまう。さらにクインに降り掛かった（重い）殺人の容疑を晴らすべく奮闘する。

このブッキーの動機の説得力として、アイリッシュは当時の世相であったり、ブッキー自身の履歴を綿密に作っています。それゆえに故郷に帰る始発バスの時刻がタイムリミットとして必然性になっていて、サスペンス性を強調する効果を発揮しています。

『幻の女』や『暁の死線』は、日本でも何度もドラマ化されています。設定、運びが秀逸なこともありますが、犯罪のプロフェッショナルではなく、ごく一般人が事件に巻き込まれてしまう。その事件を解決しなければ元の生活を取り戻せない、新しい人生の出発ができない、ということで、主人公たちに感情移入しやすいからでしょうか。

逃亡者といえばリチャード・キンブル

物語の構造は、レッスン4（36頁）でも示した基本型の、事件が起きて、主人公の探偵役が登場し、手がかりを元に捜査を始めて、途中さまざまな窮地に合いながら、乗り越えて、真相（それも意外な）に辿り着く、という構造と同じです。

ただこのシロウト探偵の場合に留意すべきなのは、探偵の**動機**や**介入のさせ方**でしょう。

刑事や探偵は、職業性として事件に対するのは当たり前ですが、シロウト探偵はそう簡単ではありません。シロウトが事件に関わるための**必然性**を与えなくていけない。

『幻の女』や『暁の死線』は、主人公側が殺人事件の容疑者にされてしまう。しかも死刑執行であったり、始発バスの時間まで、というタイムリミットが設定されていることでサスペンス効果も発揮されています。

こうした「濡れ衣」ものはミステリーの重要な動機のひとつです。

年配の方なら、アメリカのテレビドラマシリーズ『**逃亡者**』の矢島正明さんの冒頭ナレーションを覚えていらっしゃるでしょう。

「**リチャード・キンブル**、職業医師。正しかるべき正義も時として、盲しいることがある。彼は身に覚えのない妻殺しの罪で、死刑を宣告され、護送の途中、列車事故に遭って辛くも脱出した（以下略）」

この1963年からスタートしたドラマは4シーズン30話ずつ、全部で120話も続いたとか。

リチャード・キンブル（デビット・ジャンセン）の動機は身に覚えのない妻殺しの容疑を晴らすために、事件現場で目撃された片腕の男を探す。彼を執拗に追いかけるジェラード警部が追跡する。

この基本設定で、全米各地を転々とするキンブルが、行った先々の町でトラブルと遭遇しキンブルが解決する。町の人は彼に惹かれて逃亡の手助けをする。

ほぼ毎回、このパターンで物語が展開しました。

ちなみに、このドラマには原作がありますが、実際に起きた医師による妻殺しの冤罪事件（サム・シェパード事件）を元にしたものです。

1993年に映画化され、リチャード・キンブルをハリソン・フォードが、ジェラードをトミー・リー・ジョーンズが演じました。

映画は当然コンパクトな設定、ストーリーになっていますが、キンブルが真犯人を追いながら逃亡を続ける。追いかけるジェラード警部が次第にキンブルの動機と情熱に影響されて、自身でも真相解明に向かうという構造になっています。

この演技でトミー・リー・ジョーンズは、アカデミーの助演男優賞を獲得、ジェラード警部を主人公としたスピンオフ映画『**追跡者**』も製作されました。

日本でも2020年末にスペシャルドラマとしてオンエアされ、逃亡者を渡辺謙、刑事を豊川悦司が演じました。

基本型としてのヒッチコック『北北西に進路を取れ』

映画ではレッスン3でも触れましたが、**ヒッチコック**の名作『**北北西に進路を取れ**』は、このスタイルの最良サンプルです。

広告会社の重役であるロジャー・ソーンヒル（ケーリー・グラント）が、ホテルでスパイのキャプランに間違えられたことから、殺人事件の犯人にまでされてしまい、警察と謎の組織から追われるはめになる。

そこからロジャーに次から次へと危機が降り掛かり、政府とスパイ一味の両方から追いかけられる。途中、スパイ一味に入りこんでいた美女イヴ（エバー・マリー・セイント）との恋愛もからみ、ひたすら真相を追求しつつの逃亡がノンストップ状態で続けられる。

この『北北西に進路を取れ』を下敷きにしたサスペンス映画は、たくさん作られています。

上記の映画のほうの『逃亡者』もですが、**アーサー・ヒラー**監督作『**大陸横断超特急**』（1976）、**ロマン・ポランスキー**監督『**フランテック**』（88）、**トニー・スコット**監督『**エネミー・オブ・アメリカ**』（98）などなど。

巻き込まれ＋真相探しの傑作『ゴールデン・スランバー』

日本では、この『北北西』の影響を受けていると思われる**巻き込まれ型**の代表作は、**伊坂幸太郎**原作の『**ゴールデン・スランバー**』でしょう。

この物語は、仙台市で宅配便の配達員をしていた主人公が、首相暗殺の濡れ衣をかけられて逃亡するはめになる。彼を知る元恋人ら同級生たちの協力を得ながら、主人公はひたすら逃れ、巨大な黒幕に立ち向かっていく。

ところで、『ゴールデン・スランバー』は『北北西』を下敷きにしつつ、構造としての大きな違いがあります。

これがレッスン3で述べた、物語の基本型の**「ロードムービー」タイプ**と、**「グランドホテル」タイプ**の違いです。

『北北西』は、NYのホテルから物語が始まって、→郊外の邸宅　→NYの国連ビル　→シカゴ行き寝台列車　→田舎のトウモロコシ畑　→ノースミシガン街→ラシュモア山、というように、主人公のロジャーは旅を続けながら危機に遭遇して行きます。

この「ロードムービー」タイプは、映画版の『逃亡者』も同様です。

これに対して『ゴールデン・スランバー』もある意味、主人公の青柳は、追っ手から逃れながらも点々とするのですが、物語が展開する舞台は、事件が起きた仙台の街に限定されています。

ちなみに、これはある意味仙台市内の旅とも言えますので、限定する空間が『グランドホテル』内という狭さでないので、私は**「パッケージツアー」タイプ**と名付けています。

ミステリーではありませんが、**『ローマの休日』**はこれで、某国王女のアン（オードリー・ヘップバーン）がローマの街を一日旅をします。

『ゴールデン・スランバー』と同様のパッケージツアータイプの巻き込まれ型は、**ポランスキー**監督の**『フランテック』**もこれで、空間はパリの街です。学会に出席するために、妻とパリにやってきた医師のリチャード（ハリソン・フォード）が、空港でスーツケースを間違えたことがきっかけで、妻が誘拐されてしまう。

そこから言葉の通じないパリの街を右往左往しながら、妻を取り戻すために敵の組織と戦う。

アパートの中だけで展開する

このように「巻き込まれ型」も、構造として「ロードムービー」タイプとして旅をさせるのと、活動する空間を限定しつつ事件を解決する物語とするかで、そもそもの設定の作りが違ってくるわけです。

さて、この「**グランド・ホテル**」＋「**巻き込まれ型**」でより空間を限定するミステリーもあります。

その代表サンプルは、『**暗くなるまで待って**』でしょう。

もともとはサスペンス舞台劇ゆえに、空間が限定されているのですが、空港で夫が見知らぬ女から預かった人形（ヘロインが仕込まれていた）のせいで、アパートに暮らす盲目の妻が殺人鬼に襲われるはめになる。

テレンス・ヤング監督により映画化された作品では、クライマックス部はほぼこのアパート内だけで、盲目の妻役をオードリー・ヘップバーンが演じました。盲目のヒロインがいかに殺人鬼と対抗するか？　サスペンスを盛り上げる条件が限定空間によって整えられています。

こうした何らかの理由で、悪人が一般人を襲うことになり、巻き込まれた一般人が戦うというシチュエーションものはたくさん作られています。

例えば、**フランク・カフラン**監督『**P2**』（2007）は、クリスマスイブの夜に、ビルの地下にある駐車場にストーカー男に閉じ込められたヒロインが、脱出をするために奮闘する。ほぼ駐車場という空間だけで展開するシチュエーションスリラーです。

温泉女将に家政婦は見た

シロウト探偵の造りとして、突発事項によって人物が事件に巻き込まれて、というスタイルとすることが多いのは、通常は一般人が犯罪と積極的に関わらないからです。

ところで、すっかり下火になって、今となっては枠も消滅して再放送用になっているのが、民放の二時間ドラマ、いわゆる「二時間サスペンス」。主に年配層の支持を集めていましたが、大きく分けると、刑事ものなど犯罪捜査のプロたちが主人公となるものと、いわゆるシロウト探偵ものに大別できました。

この中間として、前記した犯罪と近くにいて専門性を発揮する**セミプロもの**（例えば『万引きGメン』とか、『税務調査官』みたいな）もありましたが。

で、シロウト探偵はじつに百花繚乱でした。有名なところでは、鬼籍に入られた市原悦子さんが主演した『**家政婦は見た**』、同じく渡瀬恒彦さんの『**タクシードライバー日誌**』。この他にもヒットシリーズ化していた『**温泉若おかみ殺人推理**』など。

例えば、東ちづるさんでシリーズ化されていた『温泉若おかみ～』は、毎回設定（ロケ地）の温泉が異なり、そこにある老舗温泉旅館の若おかみが旅館内もしくは温泉町で起きた殺人事件を解いていく。

こうしたシロウト探偵ものは、本来殺人事件になんて介入できません。そこで**身内に警察関係者を配する**、というのがひとつの定型になっていたりします。『温泉若おかみ～』の場合は、以前は夫が温泉宿の若旦那で、だったのですが、途中から地元警察署の刑事で、と変更されました。

一見無能なシロウト探偵

このパターンの嚆矢的なものとしては、**内田康夫**さんの大ヒットシリーズ『**浅見光彦**』シリーズでしょう。

主人公浅見光彦は、名探偵のイメージがありますが、そもそもはフリーのルポライターですからシロウト探偵です。

旅行雑誌の仕事が主で、取材のために地方に出掛けていくと、必ず殺人事件（それも地元に関連したこと）と遭遇して関わるようになります。そのせいで地元の警察に事情を聴かれたり、容疑者にされたりしますが、伝家の宝刀として登場するのが、兄の警察庁刑事局長の兄。

この存在が何らかのカタチで明らかになって、地元警察は態度が豹変、光彦はそのまま捜査に加わることになって、真相、真犯人発見に至ります。

このようにシロウト探偵ものは、身近に親身になってくれる刑事、警察官を配置しておくと、事件と関わりやすくなるわけです。

この『浅見光彦』シリーズは、いろいろなシロウト探偵ものの定番、教科書的な作品ともいえますが、それよりも前にシロウト探偵の母的な存在は、やはり**アガサ・クリスティ**です。そう、名探偵のポアロと並ぶ『**ミス・マープル**』です。

いくらでも作れるシロウト探偵もの

ミス・マープルもそもそもはシロウト探偵。ロンドン郊外の村で悠々自適な生活をしている老嬢ですが、作家の甥が所属している火曜クラブに家を提供することになって、その会員たちが持ち込む事件を解いてしまったことがきっかけ。そこから名探偵としての名前が高まり、警察関係者とも繋がりができます。

クリスティはレッスン4であげた「見立て殺人」が得意ですが、このミス・マープルは逆「見立て」推理ともいえる手法で、村に過去にあった事件や出来事、さらには実体験を引用して、推理するというのが特徴です。

浅見光彦が地元で最初は刑事たちなどから軽んじられるように、老嬢が出すとちんかんな思い出話に、迷宮入り事件話を出した人物たちは馬鹿にするのですが、結果的に真相を導くことに驚嘆します。

こうした手法（いわば「この印籠が眼に入らぬか」の水戸黄門的逆転のカタルシス）も、シロウト探偵ものをおもしろくするテクニックでしょう。

もうひとつミス・マープルがそうですが、シロウト探偵もののポイントは、主人公が（巻き込まれ型でない場合は）、**詮索好き、好奇心が旺盛**、誰にでも話しかける、といった性格が多いようです。

ともあれ、シロウト探偵の主人公設定は無限です。巻き込まれ型であろうと、詮索好きであろうと、その事件への関わり方をしっかりと作れば、いろいろなミステリーが生まれます。

LESSON 10 生卵はどうすればハードボイルドになる？

孤高でタフな主人公であること

犯罪捜査のプロは述べた通り、代表としては「探偵」と「刑事」があがります。

主人公を公務員の刑事とするのか、商売として調査なり探索をする探偵とするかの違いですが、もうひとつミステリーのジャンルに、主に彼ら（探偵が圧倒的に多い）を主人公とする**「ハードボイルド」**というのがあります。

そのまま訳すと「固ゆで」ですなわち、半熟卵に対しての固ゆで卵ですが、これがどうしてミステリーの重要な一ジャンルとなったのか？

これについての解説では、一番詳しくてわかりやすいのが、『知恵蔵』の井上健先生のこちらです。

２００７年と若干古めですが、見事な解説になっていますので、そのまま引用させていただきます。

ハードボイルド

１９２０年代アメリカにおいて、自らも探偵業に従事した経験を持つダシル・ハメットが、雑誌「ブラック・マスク」を舞台に確立したジャンル。探偵サム・スペードの活躍する『マルタの鷹』（１９３０年）が、このジャンルの記念碑的長編。ハードボイルド探偵小説は以後、ハメットの、徹底して贅肉を削ぎ落とした、乾いた文体を継承しつつ、レイモンド・チャンドラーのフィリップ・マーロウ、ロス・マクドナルドのリュウ・アーチャー、ミッキー・スピレインのマイク・ハマーなど、数々のスペードの後継者を生んで行く。ハードボイルドのヒーローは、誰の助力も借りずに、己の名誉をかけた掟を守って、タフに生き延びていく。都市に棲息する独身者として、日常生活の細部には徹底してこだわる。現実主義者で皮肉屋でありながら、捜査対象にはしばしば感情的に巻き込まれる。時には犯罪捜査のみならず、判決を、処刑を下す役を買って出ることもある。ハードボイルドの物語構造は、騎士物語と同じく、探求と発見から成っている。アメリカ産ハードボイルド探偵小説は、50年代、日本に翻訳紹介された。80年代より、国産ミステリーに占める割合は確実に上昇していき、生島治郎、北方謙三、原尞、藤田宜永、大沢在昌、白川道、藤原伊織などの人気作家を擁して、確固たる位置を占めている。

（井上健 東京大学大学院総合文化研究科教授／2007年）

小説の文体もハードでなくてはいけない

なるほど、そういうことか！

なのでこれで終了、だと終わってしまうので、もうちょっと。

つまり、アメリカで生まれた小説（というか文学）の形態として、**ハメット**が誕生させた探偵の**サム・スペード**と、彼が解決する事件の物語がハードボイルドの嚆矢ということです。

口数が少なく、自分のスタイルをけっして変えない、妥協をしないといったストイックな主人公像というだけでなく、もうひとつ重要なポイントは、**小説の文体もストイックにする**というのが、ハードボイルドの条件のようです。

実例として、一番新しい小鷹信光氏翻訳による『**マルタの鷹**』（2012年ハヤカワ文庫）の書き出しを引用。

サミュエル・スペードの角張った長い顎の先端は尖ったV字をつくっている。口元のVは形が変わりやすく、反りかえった鼻孔が鼻の頭につくる、もう一つの小さなV。黄ばんだ灰色の目は水平。鉤鼻の上の二筋の縦皺から左右に立ちあがる濃い眉がふたたびV字模様を引き継ぎ、額から平たいこめかみの高い頂きにかけて、薄茶色の髪もVを成している。見てくれのいい金髪の悪魔といったところだ。

スペードは、エフィ・ペリンに声をかけた。

「なんだい、スウィートハート」

彼女は陽に焼けて、すらりと背が高い。茶褐色の薄いウールのドレスがしっとりと体にまとわりついている。男の子のような明るい顔をして、陽気な茶色い目をしている。彼女は後ろでドアを引いて閉め、よりかかった。

「女のひとが、あなたに会いたいそうよ。名前はワンダリー」

「客かな」

「と思うけど。どっちみち会ってみたくなるわよ。とびきりの別嬪さんだから」

「通してくれ、ダーリン。すぐにだ」

この文体がすなわちハードボイルドの見本だ、とは言い切れませんが、主人公の細かい（容姿についての）人物描写（それもVという字を駆使した）があって、（魅力的な）秘書の簡潔な紹介。いかにもなセリフのやりとり。

さらにトップシーンとして〝とびきりの別嬪さん〟の客の登場から、さあ、事件が始まりますよ、という（常道中の常道ですが）、一気に物語に引き込む場面と描写を学んで下さい。

チャンドラーと役者ならボギー

『マルタの鷹』は3度映画化されていますが、何といっても1941年の**ジョン・ヒューストン**監督版が最高で、スペードに扮したのはハンフリー・ボガート。

彼自身、この映画のスペード役で、ストイックでハードボイルドな男というスタイルがすっかり定着しました。

恋愛映画である『**カサブランカ**』の酒場のオーナー役も、いかにも侠気を通すナイスガイでした。

ハメットが基盤を創ったハードボイルドの系譜は、井上先生の解説文のように後の作家に受け継がれていきました。なかでも日本で知られているのは、**レイモンド・チャンドラー**で、彼のミステリーの主人公こそが**フィリップ・マーロウ**。

ボガートも46年の『**三つ数えろ**』で、マーロウを演じていますが、『マルタの鷹』のスペードとの区別があまりつきません。ちなみにこの『三つ数えろ』でヒロイン役が生涯の伴侶となったローレン・バコール。ただ、ボガートはスペードやマーロウをシリーズ化して演じるということはなく、その後もさまざまな役をこなしました。

話を戻すと、「東西ミステリー100」では、『マルタの鷹』は36位。そしてチャンドラーの**『長いお別れ／ロング・グッドバイ』**は6位に入っています。

チャンドラーによって最初に書かれた長編は**『大いなる眠り』**（1939年刊）で、この主人公が私立探偵のマーロウです。以後長編7作を通して登場します。『大いなる眠り』**『さらば愛しき人よ』**『ロング・グッドバイ』の3作が、どれも遜色ない傑作とされています。

タフでなくては、はパクリ?

ところで、ハードボイルドは文体も構成する大きな要素だと述べましたが、海外の小説は、**翻訳**者によって文章が大きく変わります。

チャンドラーというと、「タフじゃなければ生きていけない、優しくなければ生きていく資格がない」というセリフを真っ先に思い出す人が多いでしょう。

これは78年公開の角川映画『野生の証明』のキャッチコピーとして使われたことから知られるようになりました（キャッチでは〝男は〟という主語が付けられていた）。

これは**『プレイバック』**というチャンドラー最後の長編に出てくるセリフです。

マーロウが調査対象者であるベティという女性と一夜を共にすることになり、彼女から、「あなたのように強い（hard）人が、どうしてそんなに優しく（gentle）なれるの?」と問われて。マーロウが答える。

「If I wasn't hard, I wouldn't be alive. If I couldn't ever be gentle, I wouldn't deserve to be alive.」

これを訳したのは、日本のハードボイルド小説の継承者の**生島治郎**。自らのハードボイルド精神としてこのセリフを引用し、訳したということ。

映画字幕の翻訳者としても第一人者で、最初に翻訳

をしたのは**清水俊二**だった。訳は、

「しっかりしていなかったら、生きていられない。やさしくなれなかったら、生きている資格がない」

作家の**矢作俊彦**は『複雑な彼女と単純な場所』という著書の中で、

「ハードでなければ生きていけない、ジェントルでなければ生きていく気にもなれない」

と訳されています。ニュアンスがそれぞれ違います。

村上春樹の「タフじゃなければ」は？

ちなみに、近年は**村上春樹**が積極的にチャンドラー作品を翻訳しています。それまで、清水俊二がハードボイルド精神を尊重し、極力文章を端的にそぎ落とした訳としたのに対して、村上春樹は原文にできるだけ忠実に訳そうとしていて、リズム感が違います。村上さんのこのセリフの訳は、

「厳しい心を持たずに生きのびてはいけない。優しくなれないようなら、生きるに値しない」

もうひとつちなみに、村上さんはこの訳についてトークイベントで語っています。

「ハードとタフは違うんです」と述べ、生島治郎の訳は「かなりの意訳なんです。でも響きとしてはいい。それは翻訳者としては難しいところで、読むほうは気持ちがいいんだけど、翻訳としてはちょっとまずい。私はずいぶん迷って〝厳しい心〟に落ち着いたんだけど、でも〝タフじゃなければ〟のほうがフレーズとしては覚えやすいね」。

作家になるためには、**文章表現のレッスン**が欠かせませんが、たったひとつのセリフでも、作品のカラー、さらにはクオリティを左右します。

でもやっぱり「タフじゃなければ」が一番カッコイイと思いますが。

探偵役者がイメージを作った

話を戻すと、アメリカでハードボイルドという形態（というかカラー）のミステリー小説が生まれて、一ジャンルとして定着していきました。

ハードボイルド小説は、**独特のタッチなりカラー**、

個性的でかつストレートなキャラクター、**比較的わかりやすいストーリー**といった共通する特徴から映像的でした。こうした作家の台頭と合わせて、20世紀の娯楽の王道は映画でしたから、次々と映画化されていったわけです。

ハンフリー・ボガートがフィリップ・マーロウを演じただけでなく、ジェームス・ガーナー、ジェームス・カーン、ロバート・ミッチャム、エリオット・グールドなどなど多くの俳優が探偵マーロウになりました。

井上先生があげた**ミッキー・スピレイン**の**マイク・ハマー**や**ロス・マクドナルド**の**リュウ・アーチャー**以外でも、例えば**ロバート・B・パーカー**の私立探偵**スペンサー**、**ローレンス・ブロック**の**マッド・スカダー**、**マイケル・Z・リューイン**の**アルバート・サムスン**、**ジェイムズ・クラムリー**の**ミルトン・ミロドラゴヴィッチ**と**C・W・シュグルー**など。

ただ、前世紀前半のアメリカでは、こうしたタフで動じない男が活躍するハードボイルドは成立したのですが、東西冷戦やベトナム戦争をくぐり抜け、より屈折し複雑な世紀末から今世紀に差し掛かるにつれ、このジャンルは輝きを失うようになっていきます。

ただ、いわゆるハードボイルドからフランスから逆輸入してミックスされたのが**ノワール**で、アメリカでは「アメリカン・ノワール」と呼ばれて進化して今に至っています。

フランス版は主人公が犯罪者？

ということで、海外でのハードボイルドの余波として、フランスで生まれたのが**ノワール小説（ロマンノワール）**です。**「暗黒小説」「犯罪小説」**というように訳されますが、犯罪者を主人公としたり、暗黒街を舞台にした小説群です。

タッチ、世界としてはハードボイルド調を継承していますが、ニュアンスの違いはこの犯罪者を主人公として据えるケースが多いことでしょうか。

ちなみに、**犯罪者側から描くミステリー**のジャンルとしては、レッスン12の「悪漢小説・悪女もの」とも被ります。このノワールミステリーは、フランス映画の一ジャンル（フィルム・ノワール）と共鳴することで、発展しました。

代表作家は元ギャングの**ジョゼ・ジョバンニ**（代表作『**穴**』『**おとしまえをつけろ**』）で、映画監督もこなしました。**ジャン＝パトリック・マンシェット**の代表作『**眠りなき狙撃者**』など。

近年では日本でも年間ベストミステリーのベストワンになった**ピエール・ルメートル**の『**その女アレックス**』は、警察小説、悪女ものともいえますが、フレンチノワールの流れを継いでいます。

こうしたノワール小説の前ですが、フランスでは独特の味わい（洒落た香りと暗さが同居したような）のミステリーがたくさん生まれています。『**わらの女**』や『**大いなる幻影**』など悪女もので輝いた**カトリーヌ・アルレー**、**メグレ警視シリーズ**の**ジョルジュ・シムノン**（元はベルギー人でフランスで活動）、『**悪魔のようなあなた**』の**ルイ・C、トーマ**、『**シンデレラの罠**』の**セバスチャン・ジャプリゾ**といった作家とその作品も、フレンチノワールの流れの担い手です。

さらに映画でフレンチノワールは、１９５０年代後半から始まった映画の革新運動のヌーヴェルバーグと結びついて、犯罪や悪の世界を描きました。

現れよ、次なる大藪春彦、西村寿行！

こうしたハードボイルドテイストを日本で継承したのが、井上先生があげられた、**生島治郎**、**北方謙三**、**原尞**、**藤田宜永**、**大沢在昌**、**白川道**、**藤原伊織**といった作家さんです。

ただ、井上先生はあげませんでしたが、日本でのハードボイルド小説というと、最近あまり読まれなくなった**大藪春彦**を忘れてはいけないでしょう。

今では徳間書店さんがその名を冠した新人賞と、出版されたミステリー小説（ハードボイルドと限っていないが、そのテイストなり冒険小説のカラーがあるミステリーが選ばれる傾向にある）に対しての賞に名前が残されていますが、１９７０年代、80年代を中心に多くの読者に支持されました。

やはり映画化された、『**野獣死すべし**』（早稲田大学在学中に書いた処女作）や、『**蘇る金狼**』『**汚れた英**

雄』『**アスファルトの虎**』など。

大藪春彦は自らがマニアだったガン（拳銃）やカーといった描写にこだわり、反権力を徹底する孤高のヒーロー像を追求しました。

こうした**徹底したこだわり**という路線こそ、ハードボイルドに欠かせない要素ともいえます。

もう一人、ハードボイルドの枠を超えて人気作家となったのが**西村寿行**でしょう。今ではめったに読まれなくなっていますが、一時代を築きましたし、ジャンルの多岐にわたり、総じて「ハードロマン」と称されました。

西村寿行も好きが高じて、でスタートした作家ですが、彼が好きだったのは動物です。『**犬笛**』がそのジャンルの代表ですが、そこから動物パニックの『**滅びの笛**』、さらに映画にもなって中国で大ヒットした『**君よ憤怒の河を渡れ**』や、『**化石の荒野**』というように。

ともあれ、ハードボイルドはミステリーとしてのストーリー展開よりも、踏まえておくのは**主人公の造型**。**一匹狼**で権力におもねずに**独自の生き方**を貫こうとする。

刑事のような職業に就かせたとしても、組織の中では弾かれている存在で、というように位置づける。

さらにそうしたキャラクターなり世界に相応しい文体で書かれることが、最低限の条件でしょう。

近年、そうした精神を継ぐ書き手も出てきていて、そこから次なるスターの出現が待たれます、印象としてですが、大藪春彦や西村寿行が読まれなくなっていることが示すように、このジャンルはぽっかり穴が空いている感がありますので、ぜひぜひ「我こそは！」というハードな書き手が現れてほしい。

LESSON 11 盗みこそ我らが命、ケイパーものはドキドキだ！

ミステリーより先の悪漢もの

このレッスンからガラリと立ち位置が変わります。いわば180度の転換ともいえるかもしれません。

何がというと、これまでのジャンル分けでは、（基本ですが）犯罪を解明する側、捜査をする側が主人公でした。もちろん、刑事もののなかにも、いわゆる「悪徳警官」が主人公で、という描き方もありますし、ラブサスペンスも主人公（なぜか男が多い）が翻弄される恋人（こちらは必然的に女性が多い）がファムファタール（悪女）で、という構図のミステリーも多々あります。

「ハードボイルド」も、アメリカ産は探偵を主人公とする場合が多いのですが、フランス産のノワールもの

となると、むしろ犯罪者側として奮闘する主人公となったりします。

そうした例外は置いておいて、このレッスン11からは**主人公を犯罪者側とした場合のミステリー**のつくり、構造について述べていきます。総じた名称としては**「クライムもの」**でしょうか。

こうした犯罪者が主人公の物語形式は、ミステリーの傍流のような印象を受けますが、歴史を紐解くと、ポーとかよりも200年も前だったりするんですね。

いわゆる**「悪漢（ピカレスク）小説」**というジャンルなのですが、なんと16世紀にスペインで発売された作者不詳の『ラサリーリョ・デ・トルメスの生涯』という小説があって、これがこの手の小説のはじまりなのだそうです。

社会の底辺から出た小悪党の主人公が、さまざまな

経験や出会いを経て生きのびていく。スペイン語で「ならず者、悪漢」の意の〝ピカロ〟が語源で、社会風刺を含みながら、こうした人物の告白といったカタチをとる「ピカレスクロマン」が大流行したのだとか。

『ライ麦畑でつかまえて』はピカレスク小説

レッスン10の「ハードボイルド」の定義で、『知恵蔵』の井上健先生の解説を引用しましたが、同じく井上先生は、この「ピカレスク小説」についても解説されていて、前記の歴史を述べた後で、末尾にこう書かれていらっしゃいます。

19世紀以降、ピカレスク小説は、ことにアメリカ小説の構成原理として有効に働き、マーク・トウェイン『ハックルベリー・フィンの冒険』(1885年)から、J・D・サリンジャー『ライ麦畑でつかまえて』(1951年)まで、数々の秀作を世に送った。日本において、ピカレスク小説がおおむね大衆文学の領域にとどまっているのは、日本人がヒーローに求める条件たる倫理や知性が、そもそもピカロの持ち合わせぬものであるからなのだろう。

思わず、「そうなんだ!」と目からウロコ! **マーク・トウェインの『ハックルベリー・フィンの冒険』**は、子どもの頃にワクワクしながら読みました。**サリンジャーの『ライ麦畑でつかまえて』**しかりですが、それらが「ピカレスクロマン」の流れという認識はありませんでした。この歳になっても、新たに知ることも多々ありますね。

確かに『ライ麦畑』の主人公ホールデンは不良少年で、彼が体験を語るという形式だし、出会う大人たちの嘘を見聞きして、というピカレスクロマンの定型を踏まえているのかもしれません。

それはともかくとして、〝日本において、大衆文学の領域にとどまっている〜〟以下の井上先生の見解には若干引っかかります。まず井上先生の認識として、大衆文学はいわゆる(純)文学の下みたいな物差しが根底にあるようで、それってどうかなと思います。

また、日本人はヒーローに知性とか正義だけしか求めていないということでしょうが、そんなことはなく、それこそ「イヤミス」ブームのように、悪の魅力にワクワクする読者や観客は歴然といます。それはイコール、そうしたニーズを喚起するだけの作者もいるということでしょう。

悪を貫く主人公とすべし

本筋に戻ると、刑事や探偵が謎や犯罪を暴く物語もわくわくしますが、アウトローな主人公が、権力者たる警察などの追究を逃れて、悪事を貫こうとする姿にも心を奪われます。

その前に改めて確認しておきますが、物語の主人公は、**【動機】**があって**【目的】**に向かって進みます。途中で挫折しかけたり、ライバルにボコボコにされたりします（すんなり目的に達してはつまらないので、一度や二度、三度とそうした底辺に落としたり、困難に直面したほうがおもしろくなる）。ですので挫折したままで物語が終わったら、観客、読者は「金返せ！」となります。

刑事もの、探偵ものなら、事件が起きてそれに関わることになって**【動機】**、解明なり解決しようとするのが**【目的】**となります。

で、主人公はこの法則に従うことで、物語の中で**【貫通行動】**を取ることが基本条件となります。途中で横道に入らない。

もちろん、一見物語と関係なさそうな描写があったり、エピソードが絡んだりすることもあっていいのですが、物語を通すために**【貫通行動】**から外れない、ここに戻すようにします。

途中から脇道に入って、そっちを延々と進んだりすると、観客読者は混乱します。手法として外れていると思わせてじつは本筋に結びついていた、という作りをすることもありますが。

さて、アウトローものもこの**【動機】**と**【目的】**で、**【貫通行動】**をとらせるという基本は同じです。で、これも犯罪の種類とかでジャンルが分かれます。

そこに金庫があるからだ

犯罪の種類を挙げているとキリがありませんが、代表的なものでジャンルの特徴を考察してみます。シンプルな犯罪者自身の物語とする「悪女、悪漢もの」は次項で取りあげるとして、まず【目的】としてわかりやすい**「ケイパー（強奪or襲撃）もの」**から。

ちなみに「caper」は、「はね廻る」とか「わるふざけ」の意味で、俗語で「犯罪行為」を称するとか。ただ、今は「ケイパーもの」というと、銀行とか権力者、富裕層とかから何かを盗んじゃう物語を指すようになっています。

ケイパーものの小説もそれなりにあるのですが、強奪シーンのサスペンスやアクションが文章よりも映像としておもしろくできるためか、映画の名作が最初に浮かびます。

例えば古典的な名作ですが、映画化された**ウィリアム・R・バーネット**の『**アスファルト・ジャングル**』。この手のジャンルの元祖的な位置づけがされていますが、バーネットの原作は翻訳されておらず、もっぱら1950年製作の巨匠**ジョン・ヒューストン**監督による映画作品で知られています。

ストーリー展開としても、ケイパーものの基本がこの映画で伺えます。おおまかな流れは、

1 盗みのプロである主人公登場（襲撃計画を持っている）
▼
2 各分野のプロの仲間を集める
▼
3 スポンサー（胴元・まとめ役）の協力を得る
▼
4 綿密に計画を練る。リサーチと人間性
▼
5 計画前のトラブル発生
▼
6 計画実行（ハラハラドキドキの見せ場とトラブル発生）

7　襲撃成功するも新たな問題発生
▼
8　仲間割れする
▼
9　主人公の危機や警察の捜査が迫る
▼
10　計画の破綻

『アスファルト・ジャングル』は、刑務所から出所したドク（サム・ジャフェ）が計画立案者で、かつての仲間だった賭博業者のコピー（マーク・ローレンス）を訪ね、宝石強盗の計画を打ち明けます。

次に暗黒街のボスのエメリック（ルイス・カルハーン＝資金提供者）の協力をとりつけます。この過程で、コピーに金を借りている青年ディックス（スターリング・ヘイドン＝ボディ・ガード）、金庫破りのプロのルイス（アンソニー・カルーソ）ら、さらに相棒だったブラノム（ルイス・カルハーン）と、エメリックの情婦のアンジェラ（マリリン・モンロー！）らがチームに入ります。

仲間を集める過程で、彼らの履歴であったり、それぞれの思惑、役割や性格（後半に繋がるトラブルの種）を仕込んでいきます。

そしてケイパーものの最大の見せ場となるのが襲撃シーンです。ここでは通常、何らかの予期せぬ事態が発生します。それによって計画が失敗しかける。サスペンス展開として盛り上げます。

それが機知なり暴力的な手段で回避され、一旦計画は成功します。

そこから各キャラの思惑や新たなトラブルが起きて、仲間割れが発生します。結果、それぞれが死や警察に逮捕されて終わります。

通常は「悪行は報われない」という終わり方が多いのですが、まんまと成功して終わりというのもあります。それよりもケイパーものの一番のおもしろさは、**いかに強奪を成功させるか？**なので、そこにプロセスとしてのアイデアが発揮できるかがポイントになります。

奪い方のテクニックが大切だ

『アスファルト・ジャングル』を元祖として、ケーパーものの映画はたくさん製作されました。55年には**スタンリー・キューブリック**監督の『**現金に体を張れ**』。強奪チームが狙うのは競馬場の売り上げ金。まんまと強奪は成功するものの、やっぱり裏切りやトラブルで計画は破綻していきます。

ちなみに〝現金〟と書いて、〝げんなま〟と読ませるタイトルが秀逸でしたが、当時の映画会社は、こうした凝った邦題でヒット作を導くセンスがバツグンでした。

64年にはトルコのトプカピ宮殿の宝剣を盗もうとする**ジュールス・ダッシン**監督の『**トプカピ**』。ユーモアタッチで私が大好きなシリーズは**マリオ・ヴィカリオ**監督の『**黄金の七人**』（65）。一作目に司令塔である教授をリーダーに、チームが銀行の金庫から金の延べ棒を奪います。金庫は最新式でそこから**アッと驚く手法**で盗み出します。

さらに続編の『**続・黄金の七人　レインボー大作戦**』（66）は、前作で裏切り合ったチームなのに、さらなる計画を実行します。ローマの地下道に列車を走らせたり、スパイ映画みたいに潜水艦を使ったりする強奪方法を見せます。

三作目の『**新・黄金の七人７×７**』（69）は、さらに強奪計画と狙うモノが秀逸です。彼らはわざと刑務所に入り、（チームは一新されますが）そこから脱獄して強奪を実行し、刑務所に戻って来ます（アリバイが完璧）。狙うのはなんと、王立造幣局で、そこで本物のお札を刷って盗み出してしまおうとする。ところが思わぬ邪魔者が加わってしまう。

ちなみにこの『黄金の七人』の正と続に、チームのメンバーとして色気を武器とする紅一点の美女ロッサナ・ポデスタが登場しますが、我が国が生んだケーパーものの代表『**ルパン三世**』のヒロイン、峰不二子の原型とされています。

どうやって失敗するかも！

ともあれ、ケイパーものはおおよそ、先の計画立案から実行、成功を経ての仲間割れといったトラブルで通常失敗で終わる、というストーリー展開をとりますが、述べたように一番の留意すべき点は**強奪方法のアイデア**と、もうひとつ**失敗の仕方**も大事です。

そうした失敗の仕方だと、『現金に体を張れ』のラストの風に舞う札であったり、あるいはジャン・ギャバンとアラン・ドロンがタッグを組んだ『**地下室のメロディー**』(63)は、プールに浮かぶ札束という秀逸さ。

この映画で二人が狙うのはカジノの売り上げ金でしたが、こうしたあぶく銭的な金を盗む主人公たちには、観客はよりシンパシーを感じてしまうのです。

『**オーシャンと十一人の仲間**』(60)で、フランク・シナトラ扮するオーシャンが、第二次大戦を共に戦った10人の仲間と襲うのは、ラスベガスの5つのカジノでした。ラストの失敗の仕方も唖然でしたが。

この映画は当時のおっさんスターたちによる出演がひとつの目玉でしたが、この精神を継いでリメイクされたのが『**オーシャンズ11**』(2001)です。監督は**スティーブン・ソダーバーグ**。こちらのオーシャンはジョージ・クルーニーで、ブラッド・ピットやマット・デイモンら10人のさまざまな特技を持つ仲間たちを集める。

そう、こうしたチームで行動するケーパーものは、各キャラクターのそれぞれの専門能力が必要になります。金庫を破る役割とか爆弾とか、ハッカーとか運転のプロというように。

また『オーシャンズ11』となると、現代性が無視できません。破る金庫とかがハイテク化されていて、難攻不落度が増していて、それをどう知恵や才気、最新技術で攻略していくか?

当然オリジナルとは中身がかなり違っていますし、本作はむしろ後半にとりあげるコンゲームものの要素が強い。

ともあれ映画のヒットから12、13とシリーズ化されて、ブランクがあって今度は女性チームによる『**オー**

シャンズ8』（18）も製作されました。このオールスターによるケーパーものがいかに魅力的な設定かということでしょう。

ケイパーも三幕方式で

ケイパーものはとにかくハラハラドキドキの強奪シーンに加えて、カーチェイスだったり、二転三転の裏切りやコンゲーム的なだまし合いというように、おもしろさ満載のため、次々と快作映画が作られ続けます。

観て損のない作品をいくつか挙げておくと、スティーブ・マックイーン主演の『**華麗なる賭け**』（68）。主人公は盗みを趣味とする大金持ち実業家。彼を追いかけながら恋に落ちる保険会社の調査員がフェイ・ダナウェイ。

ロバート・レッドフォードをリーダーとするハッカー集団による強奪を描いた『**スニーカーズ**』（92）。この頃から警備システムに忍び込んで、というハイテク要素が加わるようになりました。

リメイクながら痛快だったのはマーク・ウォルバーグがリーダーで、小型車であるミニ・クーパーを駆使して金の延べ棒を奪う『**ミニミニ大作戦**』（03）。

ちなみに、この映画はいわゆる「ハリウッド三幕方式」になっている点も注目して下さい。94ページのケイパーものの法則に即しながら、まず一幕目で、いきなりベニスの水路を活かして、強奪チームがマフィアから金庫ごと盗んでしまう手口を見せて成功かと思いきや、仲間（珍しくエドワード・ノートンが悪役）の裏切りで、獲物が丸ごと奪われてしまう。

二幕は再集結したチーム（新たに紅一点金庫破りのプロとしてシャーリーズ・セロンが加わる）が、ノートンの豪邸から金塊を取り戻すために計画を練る。

そして三幕はミニ・クーパーを使ったカーアクション中心のクライマックスが展開します。

エドワード・ノートンというと、ロバート・デ・ニーロと組んでやっぱり裏切る『**スコア**』（01）も地味ながら二転三転のおもしろさでした。

やっぱりウェストレイクだ

キリがないのでこのくらいにしますが、映画だけでなく小説も挙げておくと、ケイパーもので特筆しておきたいのが**ドナルド・E・ウェストレイク**（08年75歳で死去）。

おもしろさで映画化作品も多いのですが、まずは不運な泥棒ドートマンダーのシリーズ。ロバート・レッドフォード主演で映画された『**ホット・ロック**』（71）は原作も映画も手に汗握る展開と、アッと驚く意外性で楽しめます。

天才的な泥棒とチームなのに、せっかく盗んだ宝石があっちこっちに行ってしまい、その度に取り返そうとするのだが……。

コメディ仕立てで笑いながら盗みのあれこれが楽しめる。失敗しても楽しそうというのは、ウェストレイク作品ならではの味わいでしょう。

ともあれケイパーものをおもしろくする要素は、いかにトラブルだったり、計画通りにならなかったりさせるかですが、ウェストレイク作品を読むとその手法が学べます。

ウェストレイクは**リチャード・スターク**名義で、プロの強盗パーカーシリーズも書いていて、こちらはドートマンダーとは違って、かなり暴力的だったり、冷酷だったりとハードです。

江戸城の御金蔵を破る

最後に日本のケイパーものを。まずは映画から思いだそうとするのですが、すぐには出てきません。

例えば、東映とかが元気があった頃ですと、**深作欣二**監督の『**資金源強奪**』（75）は、ヤクザが暴力団組織から3億円を強奪するアクション映画。深作監督ですが、『**暴走パニック　大激突**』（76）という強奪快作もあって、これはむしろカーアクションが見せ場でした。

さらにはこれらを原点とする『**いつかギラギラする日**』（92）もあって、チームで現金輸送車を襲います。これも狙いはアクションでした。

ハードボイルドタッチですと、**大藪春彦**原作で松田優作主演の**『野獣死すべし』**（80）も銀行を襲います。でも、そこにいた恋人を撃ち殺しちゃったりと、味わいとしては苦い。

近年では、**高村薫**のデビュー小説を原作として、周到な銀行強盗を描いた、**井筒和幸**監督の**『黄金を抱いて』**（2012）。妻夫木聡扮するリーダーが6人の仲間と大阪の銀行から金塊を盗もうと奮闘します。

そういえば現金輸送車を襲うというスタイルだと、日本では有名な「三億円事件」があって、これに題材を得た映画や小説はたくさんありました。が、実際の事件のインパクトに負けるのか、これぞという作品が出てきません。

もう一作だけ。かつての日本映画には、こんなに機知に富んだケイパーものがあったのだ、という例としてあげておきたいのが**石井輝男**監督の**『御金蔵破り』**（64）。

江戸時代に江戸城の金蔵から金を盗み出したという二人組の実話を元に、大川橋蔵と片岡千恵蔵がやってのける。構造としては『地下室のメロディ』からそっくりいただいているのだけど、千両箱を運び出す手口がアッと驚く方法で、それがおじゃんになるラストもうまい。

というようにケイパーものの種は尽きません。最後に失敗に終わることが多いとはいえ、**不可能に挑戦するワル**たちをつい応援してしまうからでしょうか。

「コンゲーム」ってどんなゲーム？

さて、ケーパーものの亜流でもあり、これだけでひとつのジャンルといえるのが**「コンゲーム」もしくは「詐欺師もの」**について。

ケーパーが頭脳を駆使しつつもさまざまな装置や強奪者の肉体を駆使して、狙った標的（金庫とか現金輸送車とか、巨悪の資金とか）から金をごっそり奪うのに対して、「コンゲーム」は頭脳がメインで相手をだまくらかして盗んでしまう。もちろん、騙すために大がかりな装置を作ったり、仕掛けを施したりということもあるのですが。

そもそも「コンゲーム（com game）」は「confidence

game」の略で、〝信用詐欺〟〝取り込み詐欺〟という意味で、「confidence man」は〝詐欺師〟になります。これに〝jp〟とついた大ヒット邦画は記憶に新しい。ということで、「コンゲーム」もの、あるいは「詐欺師もの」は、狙った獲物をいかに騙すか、というジャンルになります。

その獲物（ターゲット）が金持ちとか権力者だったりすることもあれば、詐欺師同士が騙し合いを繰り広げて、どっちが上回るか？　つまり「騙し合い」を繰り広げる場合もあります。まさにゲームが展開されます。

おもしろくする三つの要素

ところで、おもしろいミステリーの条件として、いわゆる**二転三転**というのがあります。つまり物語的に意外な展開になったり、人物（もちろん読者も）に思ってもみない事態が出来することで、先が読めなくなる。

もちろん、そうしたハプニングや意外性は、ただ放り込めばいいということではなく、作者が綿密に張り巡らせたプロットが必要となります。

ちなみに**物語をおもしろくする三つの要素**があります。コンゲームものは、まさにこうした要素を巧みに駆使するジャンルだったりします。

①**「秘密（謎）」**（全体を通す謎と秘密、要所要所に配し、解明される）

②**「伏線」**（さりげなく置いておいたことが、後で回収される）

③**「ハプニング」**（突発事項、事件が起きて、違う様相を呈する）

前述しましたが、特にミステリーの場合の①は、最初に事件（例えば殺人）が起きて、その犯人は誰か？　真相は何か？　といった謎、秘密が結末に至るまで、読者、観客を引っ張ります。

それだけでなく展開ごとに、小さな謎や秘密とその解明によって次第に全体像が見えてくるといった展開をさせます。

そうした展開のために、いくつもの「伏線」を張っておきます。ミステリーはこの伏線と回収のさせ方で決まると言っても過言ではありません。

読者観客は、常に「こうではないか?」とか、「はは あ、これが後で……」というように、先を予想したり、疑いを抱きながら物語に入っています。

その後の展開で「なあんだ、やっぱりな」(と意図的に思わせる場合もあるのだが)となるか、逆に「あっ、こうなるんだ!」「やられた!」と運べるかでミステリーとしての評価が大きく変わったりします。

ミステリーの場合の「どんでん返し」というのが鮮やかに決まるか否か? ここに作家は頭脳をフル回転させたりするわけです。

伏線を巧みに張り巡らせたうえで、それが回収されて「なるほど、ここに結びつくんだ」とする場合ももちろんありますが、伏線がひっくり返るような展開となって、「えっ、どうなるんだ!?」とさせることもある。

こうした展開がつまり「ハプニング」です。人物が想定したプラン通りにならない。人物だけでなく読者観客の予想を超える意外性が発揮される。

こうした要素が巧みに関わることで、おもしろさが倍加されるわけです。

名作『スティング』と『テキサスの五人の仲間』

で、「コンゲームもの」は、いかにどのように騙すか? なので、巧みに伏線を張り、意外な展開に持っていく。ミステリーの中で、突発事項や事件が起きて方向性が大きく変わるというのは定番ですが、コンゲームの場合は、出来するハプニングもじつは仕掛けられた罠だったりします。

「コンゲームもの」は映画というジャンルで、よりおもしろさが発揮できます。たくさん名作がありますが、真っ先に挙がるのは**ジョージ・ロイ・ヒル**監督の『**スティング**』。同監督と主演二人(ポール・ニューマンとロバート・レッドフォード)による傑作西部劇『明日に向って撃て!』に続いて作った痛快作です。

二人の詐欺師がターゲットとして狙うのは、シカゴのギャングのボス(ロバート・ショウ)。彼らを追いかけているＦＢＩや、ボスが雇った殺し屋がからんでまさに二転三転。仲間同士の裏切りの様相も呈してきて、ラストでまさに大どんでんとなります。

　このクライマックスのそれなりに大がかりな仕掛けも驚かされますが、当時私が一番驚いたのは、あの額に……のシーンでした。

　そうしたストーリー展開の妙もよくできているのですが、１９３０年代のシカゴという時代性が独特のレトロ感を醸し出していて（有名な主題曲も）、ゆったりとした空気感が心地よい。

『スティング』のポスター、1973 年
出典：ウィキメディア・コモンズ

時代性というと、もっと古い西部開拓時代、つまり西部劇版のコンゲームの名作は**フィルダー・キック**監督**『テキサスの五人の仲間』**。

　19世紀末のテキサスで、五人の金持ちが集まって、一年に一度の大金を賭けたポーカーゲームが開催されます。そこにたまたま立ち寄った一家が、農場を買うためにためた資金で参加することになってしまう。

　ポーカー好きが高じてしまう一家の夫がヘンリー・フォンダで、その妻がジョアン・ウッドワード。負けのこんだ夫がゲームの途中で心臓発作で倒れ、ポーカーのルールも知らない妻が、金持ち相手に仕方なく賭けを継続するのだが……。

　この映画のおもしろさは、最後に用意された笑ってしまうほどのドンデン。まさかこういう仕掛けがあったとは！

　この二作は古典としてのコンゲームものの傑作ですが、構造としては、騙す側と騙される側の関係性などでわりとシンプルともいえます。

詐欺師同士の騙し合いバトル

それが詐欺師同士の騙し合いとかになったりすると、騙し騙されという展開でプロットが複雑化していきます。

1988年の**フランク・オズ**監督のコメディ『**ペテン師と詐欺師　騙されてリビエラ**』は、まさに同業同士であるベテラン詐欺師（マイケル・ケイン）と、若手詐欺師（スティーブ・マーティン）が腕を競い合う話。ターゲットの有閑マダムから、先に金を巻き上げたら勝ちというゲームです。

二人が技量を発揮しつつ、互いの詐欺を妨害し合うドタバタで笑わせます。もう一人、正体不明の詐欺師ジャッカルは誰か？　という謎もあって「なるほど」というクライマックスで驚かされます。

じつは本作は舞台劇の映画化ですが、同じように**アンソニー・シェーファー**の傑作舞台劇を、1972年に**ジョーゼフ・F・マッキンリー**監督により映画化されたのが『**探偵スルース**』。登場人物をたった二人（名優ローレンス・オリビエとマイケル・ケイン）と、もう一人（登場するのだが）に絞り込み、騙し騙されという見本のような展開です。

詐欺師の主人公が騙されるというスタイルでは、2003年**リドリー・スコット**監督『**マッチスティック・メン**』。ニコラス・ケイジの潔癖症の詐欺師が、自分の娘と出会うことで父親の自覚を得るが……、その娘に詐欺のテクニックを教えつつ、自身の生き方を見直すというヒューマンドラマ要素が加わった異色コンゲーム映画でした。

究極はコンゲームと思わせない造り

ハイテク時代に合わせてコンピューターハッキングで、政府の闇資金を騙し取ろうという話が01年の**ドミニク・セナ**監督『**ソードフィッシュ**』。ヒュー・ジャックマン、ジョン・トラボルタ、ハル・ベリーという豪華キャストによる騙し合い。といいつつも、見せ場は銀行に装甲車で、となるのですが。

さらには、「あ、この映画ってコンゲームだったんだ！」と驚かされたのが、16年**ジョン・マッデン**監督の『**女神の見えざる手**』。ジェシカ・チャスティン演じる凄腕ロビイスト（政治の裏側であれこれと戦略を提案する仕事）が奮闘する社会派サスペンスです。ヒロインは銃所持容認の大手ロビー会社から、銃規制派の小さなロビー会社に移籍して戦うことになるが……。

窮地に陥ったヒロインが、最後の最後に仕込んでいた手段が鮮やかに決まり唸らされます。

これら以外にもいわゆるコンゲーム映画だけでなく、ターゲットや敵を騙して大逆転、というコンゲーム要素を仕込むことで、物語をおもしろくすることができます。

スパイもので挙げた『**ミッション・インポッシブル**』**シリーズ**（もともとのテレビドラマの『**スパイ大作戦**』しかり）も、ハラハラのアクション、サスペンスだけでなく、イーサン・ハント側チームが、トリックを仕掛けて敵を騙して情報を得たり、立場を逆転させたりします。

ケーパーものの最新作の『**オーシャンズ11**』**シリーズ**も、アクションだけでなくさまざまな仕掛けで、敵を欺きます。

感情移入できる詐欺師にするには？

小説でいくつか挙げておくと、まず洋邦それぞれの名作古典として挙がるのが、**ジェフリー・アーチャー**の『**百万ドルをとり返せ！**』と、**小林信彦**『**紳士同盟**』。

『百万ドルをとり返せ！』は大物詐欺師に騙されて大金を失った四人が、それぞれの専門を駆使して取り返そうとする。76年に永井淳によって翻訳された折に、解説に記されていた「コンゲーム」という言葉が、日本でも広まったという記念碑的なミステリーだとか。

『紳士同盟』もそれぞれ事情があってお金が必要となった四人の男女が、伝説の老詐欺師から詐欺の指南を受けながらコンゲームを仕掛ける。老詐欺師が説く詐欺の心得、哲学というのが絶妙でした。

以後でおさえておきたいのは、**楡周平**『**フェイク**』、**井上尚登**『**T．R．Y**』、**道尾秀介**『**カラスの親指**』、**トム・トンプソン**『**グリフターズ**』、**赤井三尋**『**月と詐欺師**』、**宗田理**『**ペテン師ファミリー**』といったところでしょうか。

こうした詐欺師ものは、主人公が詐欺師というのが多いので、その主人公が狙ったターゲットを見事にはめる、だまくらかすのがおもしろさの基本になるのですが、二転三転という展開とするためには、**主人公自身が騙されてしまって、さらにそこからもうひとつ仕掛けがあって、と展開**することが多い。

当然、登場人物たちが騙されるのですが、それはすなわち**読者観客をも騙すという工夫**が決め手となったりします。

つまり、主人公の手が隠されていて、**じつはもうひとつ仕組まれていた**、といった造りになります。

ただ、問題はその仕込ませ方で、いかにも後出しジャンケン（になるのだけど）を、前記の巧みな伏線とハプニングへの持っていき方が効果を発揮したりします。

もうひとつ、次のレッスン17で述べる、作者による小説としての叙述のやり方（トリック）で、読者を騙すというやり方もあります。

ともあれコンゲームものは、前記のケイパー（強奪）ものが、一旦大金の奪取に成功した後で、仲間割れとかで破綻する、苦い失敗に終わるという結末が多いのに対して、してやったりという成功で終わることのほうが多かったりします。

大金持ちだったり、巨悪だったりするターゲットに、頭脳によって勝つという構造が爽快感を与えるからでしょうか。

そうはいっても、例えばオレオレ詐欺のように、非力なお年寄りから頭脳プレーとはとてもいえない方法で、なけなしのお金をむしり取るやり方だと、とても爽快感なんか得られません。

コンゲームを良質のミステリーにするには、**その手口が鮮やかで、工夫（アイデア）を凝らした方法**を駆使する。犯罪であったとしても、主人公であるコンフィデンスマンを、人間的な感性なり**魅力を備えた人物**として造型することが、もうひとつの重要なポイントといえるでしょう。

「誘拐」は卑劣な犯罪？

さらに、もうひとつ大金の強奪という目的で行なわれる犯罪もののジャンルがあります。**「誘拐」もの**です。

このレッスンは、ケイパーやコンゲームというように、犯罪者側から描く、困難な悪を敢行する側から描くジャンルでしたが、この誘拐ものに関しては、それを実行する**犯罪者側から描く場合**と、誘拐犯を**捕まえようと奮闘する側**（警察だったり、被害者の身内とか）が主人公になる場合があって、それによってもアプローチが大きく異なります。

もうひとつの面として、ケイパーやコンゲームの場合は、ターゲットが巨悪だったりするので、仕掛ける側に感情移入しやすい。ところがこと誘拐に関しては、相手がいくら大金持ちだとしても、どうしても手段が卑劣になりがちなので、爽快感とかを得られにくいこともあります。

ともあれ、いくつか代表作とそのアプローチをみていきましょう。

まず必ずあがる傑作誘拐ミステリーは**天藤真『大誘拐』**。「東西ミステリーベスト１００」では、堂々の7位に入っています。

誘拐ものはシビアなタッチ、展開になりがちなのですが、本作はユーモアミステリーの代表作でもあります。

刑務所で知り合った三人の小悪党が誘拐したのは、紀州の山林王、82歳のとし子ばあちゃん。彼らが要求した身代金の金額が、5千万と聞いて激怒したとし子ばあちゃんは、「私はそない安うはないわ。端たは面倒やから、きりよく百億や！」。

しかも誘拐の模様を全国ネットのテレビで流すことになり、ヘリコプターに積んだ百億円の行方は？ということで前代未聞の身代金受け渡しが始まります。**岡本喜八**監督で映画化された『**大誘拐 Rainbow kids**』も楽しかった。

身代金をいかにゲットするか?

ところで誘拐ものの大きなネックは、この身代金の受け渡しだったりします。「警察には通報するな」というのが、誘拐犯のお決まりのセリフだったりしますが、大抵警察が潜行捜査をしていて、身代金を持った身内が追跡されていて……という展開がサスペンスになったりします。

『大誘拐』のテレビ中継というのは逆手をついたやり方ですが、まさにそれを映画としての見せ場としたのが、**大河原孝男**監督の映画『**誘拐**』。

森下直さんによる95年（脚本の芥川賞とも称される）城戸賞受賞作の映画化作品ですが、東京の銀座通りを、3億円の身代金を詰めたバッグを抱えて走る男の姿を、テレビ中継クルーが追いかけて全国に流している、という意表をついたトップシーン。それが誘拐犯の要求だったからなのですが、意図的にそんな指示をしたのは何故か?

こういう逆転の発想ができると、今までにないアイデアとなります。

映画の誘拐もの名作というと、やはり**黒澤明**『**天国と地獄**』。原作は**エド・マクベイン**の警察小説・**87分署シリーズの**『**キングの身代金**』ですが、使っているのは、富豪の息子と間違って使用人の子が誘拐されてしまう、という点くらいで、ほぼ黒澤ら脚本チームのオリジナルと言っていい。

この映画の最大の見せ場は、まさに身代金の受け渡し方法で、当時走っていた特急こだまの洗面所の窓が7センチだけ開き、そこからカバンを落とす、という方法でした。これを見つけた黒澤チームこそがすごい。

以後、日本も誘拐もの映画がたくさん作られていますが、『天国と地獄』を越えるものはないでしょう。ただ黒澤映画の場合は、刑事ものの『野良犬』や時代劇の『用心棒』『隠し砦の三悪人』、そして『七人の侍』とかにしても、その分野の嚆矢、映画人とかの目標となっているのですが。

誘拐するのは人間とは限らない

アメリカとかは、日本に比べると「誘拐」（あるいは**失踪、拉致、監禁**）といった犯罪が多いせいか、その分野の映画が毎年のように作られています。警察（刑事）が誘拐事件を解決するために捜査をする、というより、むしろ誘拐された家族の誰かが、その**身内を救うために戦う、奮闘する**というスタイルのサスペンスものが多いように思います。

クリント・イーストウッド監督『**チェンジリング**』は、息子の失踪後に、違う子どもが息子だと戻されて、というアンジェリーナ・ジョリーの母の心理サスペンス。

母が主人公というと、誘拐され7年間、一部屋に監禁されていた母（ブリー・ラーソン）と息子の壮絶な脱出劇は**レニー・アルバハム**監督『**ルーム**』。アメリカはこうした誘拐から監禁という犯罪が多い。

身内を救うために奮闘する男というサスペンス・アクションなら、フランス映画ですが、**ピエール・モレル**監督『**96時間**』（以後、シリーズにもなった）。これもフランス映画ですが、**フレッド・カヴァイエ**監督の『**この愛のために撃て**』も快作でした。

こうした誘拐ものは、主人公が身内を人質にとられているという圧倒的なハンデを負う。その弱味から**いかに反撃するか**、というおもしろさにあります。そうしたカセ、リミットがサスペンスを醸し出します。

あるいは**誘拐なり、身代金の受け取り方とかで画期的な方法**を駆使する。

アメリカの小説でそうしたアイデア性で驚かされた傑作は、**ルシアン・ネイハム**の『**シャドー81**』。誘拐ミステリーというよりは、むしろハイジャックもの、冒険小説でもあります。

乗客200人を乗せて空を飛ぶ旅客機が、背後から飛んで来たジェット戦闘機によってハイジャックされ、二千万ドル相当の金塊を身代金として要求される。ネイハムはこの一作だけで鬼籍に入りましたが、まさにこの一作だけで記憶に刻まれました。

同様に、マンハッタンの世界一安全と称されている高級マンション（今ならトランプタワーを彷彿とさせる）を人質に大金を奪おうとするのが**リチャード・ジェサップ**の**『摩天楼の身代金』**。

巧みに仕掛けられたトラップや、身代金の受け渡し方法など、これもコンゲーム的なおもしろさに満ちています。

誘拐ミステリーの新機軸はあるか？

日本の誘拐ものの小説、『大誘拐』以外では、**高木彬光『誘拐』**、誘拐ミステリーをたくさん書いている（レッスン17で競馬ミステリーとしても挙げた）**岡嶋二人**の**『あした天気にしておくれ』**や**『99％の誘拐』**、**連城三紀彦『人間動物園』**、**歌野晶午『さらわれたい女』**、**法月綸太郎『一の悲劇』**、**真保裕一『奪取』**、**原寮『私が殺した少女』**、**野沢尚『リミット』**、**東野圭吾『ゲームの名は誘拐』**、**貫井徳郎『慟哭』**などなど。

もう一作海外ものですが、久しぶりに一気読みのおもしろさだったのが**エイドリアン・マキンティ『ザ・チェーン　連鎖誘拐』**。

誘拐ものというと、アウトローとして誘拐する側からケイパー、コンゲームのように描くにしても、誘拐された側の追究、奪回として描くにしても、ある程度構造が決まってしまいます。

誘拐事件が起きて、犯人側と警察もしくは被害者身内側とのかけひき（身代金の受け渡しとか、奪回、脱出とかのサスペンスなどの）、戦いがあって、最終的な決着がついて、という流れとなります。

そこでいかに新しい手段としてのアイデアが出せるか？　だと思いますし、例えば「密室もの」のように、トリックなども出尽くした感がありました。ところが『ザ・チェーン　連鎖誘拐』を読むと、なるほどこういう誘拐の手段もあったなあ、と驚かされます。

ともあれ、ケーパー（強奪）ものから派生して、コンゲームに誘拐というように、犯罪の種類からもさまざまにジャンルは分かれますし、ミステリーとしてのアイデアは尽きません。研究をしたうえで、**自身がその犯罪者になったつもりで犯罪計画を練ってみましょう。**

LESSON 12

アウトローとファムファタール、どっちが悪だ!?

で、悪事の種類（種）は尽きなくて、それぞれで重さ軽さはあるわけですが、そうした**悪事に手を染めちゃう人間を主人公とするミステリー**について。

いろいろな名称があるし、犯罪によっても違うのですが、ここはひっくるめて「**アウトロー（犯罪者もの）**」とします。広いくくりとしては「**クライム（犯罪）もの**」でしょうか。

もうひとつ男か女かというのもあるかもしれません。女だって悪事を貫くとアウトローなのですが、「ピカレスクロマン（悪漢もの）」が概ね男の犯罪者なのに対して、女性は「**ファムファタール（悪女もの）**」というひとつのくくりが成立しています。

まず先に歴史の古い男のほうのクライムもの、つまり「アウトロー」から。

アウトローはヒーローだ

「石川の浜の真砂は尽きるとも、世に盗人の種は尽きまじ」

天下の大泥棒、**石川五右衛門**が、釜ゆでの刑に処される時に残したと伝わる辞世の句です。

浜の砂がなくなることがあっても、盗人がいなくなることはないんだぜ、とうそぶいたという逸話ですが、確かにいつの時代も人間がいる限り、盗みに限らず悪事を働く輩がいなくなることはありません。

そうした悪人（本当はそうじゃなかったりする場合もありますが）がいて、悪事なりトラブルが耐えないので、警察もなくちゃいけないし、刑事さんとかお巡りさん、探偵さんとかも年柄年中忙しいわけです。

権力に逆らうアウトローたち

ちなみに「アウトロー」は犯罪者という語を当ててしまいましたが、もう少しゆるくて、単に「はみだしもの」とか「まっとうな生き方から外れちゃう者」といった使い方もあります。

なぜそうしたゆるさもあるかというと、そもそもの概念から来ているようです。もともと英語のアウトローリー（outlawry）からで、日本語だと「法喪失」みたいな言葉になるそうです。で、英国で時の支配者の言うことをきかない連中を指していて、そう宣言されると殺されても仕方がなかったとか。

江戸時代だと無宿人とかが近いでしょうか。彼らは悪いことをしたり、取り決めとかを守らないと、今の戸籍に当たる人別帳から外されてしまう。それは町とか村の共同体から追放されるという意味で、そこに住むことが許されない。

仕方なく**「木枯らし紋次郎」**みたいに無宿人、渡世人として旅から旅に、という生き方しかできなかった。でも、それゆえにヒーローになる条件を備えているわけです。

英国に戻ると、我々も知っている**ロビン・フット**（13世紀頃にいたとされる盗賊集団の義賊）はまさにアウトローの代表で、何度も映画化されていますが、どれも正義の味方、時の権力者に戦いを挑むヒーローとして描かれます。

あるいはスコットランドの英雄として未だに語り継がれる**ウィリアム・ウォレス**（こちらも13世紀末頃）。彼が戦った相手は、イングランドの権力者エドワード1世だったから、最終的に戦いに負けて処刑されるのですが、最後まで抵抗したことでスコットランド人の精神的な支えになりました。

メル・ギブソン監督・主演で描かれた映画『**ブレイブハート**』で、詳しく描かれています。彼もアウトローです。

庶民に愛される悪人たち

そうした存在を日本に置き換えると、**平将門**とか**源**

義経、冒頭にあげた石川五右衛門、**鼠小僧次郎吉**などもアウトローでしょう。彼らは時の権力に逆らうことで犯罪者のレッテルを貼られて、処刑台の露と消えたわけですが、庶民はこうした悲劇のヒーローが大好きで、喝采を叫んだりするわけです。

江戸時代に歌舞伎では、敵役（悪役）として悪形、実悪や色悪といったわかりやすい悪が配置されていました。写楽の一番有名な「**江戸兵衛**」は、まさにこの悪形で、主人公から金を奪おうとする悪党ぶりを強調して描いています。

『東海道四谷怪談』「神谷伊右エ門
於岩のばうこん」(歌川国芳)
出典：ウィキメディア・コモンズ

演目によっては悪を尽くすことで観客を魅了する人物も登場します。例えば**鶴屋南北**の『**東海道四谷怪談**』の**民谷伊右衛門**は、殺しを重ねたうえに妻のお岩に毒を飲ませてしまう。歌舞伎でいう色悪のヒーローです。

冒頭の石川五右衛門も、時の権力者（豊臣秀吉）に刃向かって処刑された義賊という位置づけで、歌舞伎や浄瑠璃の人気演目になりました。五右衛門のもうひとつ有名な、南禅寺の山門で吐く「絶景かな、絶景かな。春の宵は値千両とは、小せえ、小せえ。この五右衛門の目からは、値万両、万々両……」も歌舞伎から生まれたセリフ。

あるいはまさに泥棒を意味する白波（語源は中国後漢末期に起きた黄巾の乱の残党の盗賊たちの名称から）もの。**河竹黙阿弥**による『**白浪五人男**』はまさに盗賊たちの物語。なかでも**弁天小僧**は女に化けていたのを見破られ、桜吹雪の刺青をみせて「知らざぁ言って聞かせやしょう」と大見得を切ります。さらには五人揃って名乗りをあげる「稲瀬川勢揃（いなせがわせいぞろい）の場」に江戸っ子たちは喝采をあげました。

こうした系譜は近代に入っても継がれていき、悪の魅力を拡げていきました。

20世紀に登場した怪盗ルパン

西洋に戻ると、例えば**シェークスピア**の『**マクベス**』は、実在したスコットランド王をモデルとしていますが、主人公マクベスは妻（典型的な悪女）にそそのかされて、主君を殺害して王位について、悪政の限りを尽くし、滅びていく物語です。

シェークスピアが名作戯曲を次々と書いたのは16世紀末頃ですが、その後のアウトローものの歴史をすっとばすと、20世紀の頭にアウトローの大ヒーローが登場します。フランスの小説家**モーリス・ルブラン**による『**怪盗紳士ルパン**』の怪盗**アルセーヌ・ルパン**です。

紳士でありながら変装の名人で、貴族や金持ちの館から宝石や美術品などを見事な手口で盗んでしまう。

しかし、ルパンの出生は結構暗くて、体育教師の父親は渡米した折に詐欺罪で捕まり獄中死。貴族出だった母は庶民と結婚したことから親族から絶縁されていて、伯爵夫人の小間使いとして親子二人でつつましく暮らしていた。今でいうシングルマザーなわけです。

ルパンは6歳の時に、自分たちに辛く当たった伯爵夫人の首飾りを完全犯罪として奪う。母を12歳で亡くし、乳母に育てられ19歳で怪盗となります。本業は怪盗なわけですが、時に事件を解決する探偵ぶりを発揮したり、戦争時には軍人として戦ったりします。

ルブランは時代が進むにつれてルパンにも歳をとらせて、20代頃から最後に出されたのは49歳。ただし、２０１２年に未発表になっていた『**ルパン最後の恋**』が出版されて話題となりました。

なお、シャーロック・ホームズとおぼしき探偵がライバルとして登場していて、名前はエルロック・ショルメという名前にされています。もうひとりのライバルはガニマール警部。

世界中にファンを開拓したのですが、我が国では今では過去の人となってしまった感があり、むしろ漫画家の**モンキー・パンチ**が誕生させた『**ルパン三世**』が本家越えをしてしまいました。

それよりも前に日本では、**江戸川乱歩**がルパンをモデルとした『**怪人二十面相**』を登場させていて、明智小五郎と少年探偵団の敵としました。

怪盗を抹殺した松本清張

もう一度日本に戻ると、前述したように江戸川乱歩を代表とするいわゆる日本の探偵もの、悪漢小説といったジャンルは、**松本清張**の出現で一時一掃されました。

清張は犯罪が起きる社会性であったり、犯罪に至る犯人の動機や事情を描くミステリーを重視しました。以後、そうしたミステリーが主流となります。

清張作品は犯人側と捜査する側とのかけひき、時間や犯罪の方法、アリバイといったトリックも据えられているのですが、そこに至る動機もしっかりと据えて、捜査する側もそこに迫ったりしています。

例えば出世作の『**点と線**』は、時刻表トリックや東京駅のホームが見通せる時間、といったミステリーとしての造りがありますが、そのトリックを考案するのは時刻表マニアの意外な人物でした。

そうした人間ドラマ性を重視とはいえ、『点と線』や『**砂の器**』とかにしても、清張作品の多くはこれまでの推理ものの基本は踏まえています。やはり探偵ポジションとしての刑事や、事件に疑惑を抱いた人物が謎を辿っていって真相に辿り着く、という形式をとっています。とはいえ、捜査する側も犯人側も、いわゆる名探偵とか怪盗といったキャラクターは登場しませんが。

ともあれ、短編には(例えば『**捜査圏外の条件**』や『**共犯者**』)、犯罪に手を染めてしまった犯人を主人公に据えて、そこに至るやむにやまれぬ経緯や葛藤を描くというスタイルの佳作がたくさんあります。

こうした一般庶民でありながら保身のために罪を犯す人物たちは、些細なミスや偶然によって発覚し、代償を払うはめになります。そこに**人生の悲哀やドラマ**をしっかりと描いたことで読者を獲得していきました。

現代型「悪」の継承者たち

純粋(という表現が相応しいかはともかくとして)

に、悪を実行する犯人、悪人を登場させるミステリーももちろんあって、それらの多くはレッスン10で述べたハードボイルド小説の主人公でした。

例えば、**大藪春彦**の『**野獣死すべし**』の主人公の伊達邦彦は、表面は秀才ですが、世に恨みを抱く悪の精神を宿し、**完全犯罪**でのし上がろうとする。

この手の日本型ハードボイルドは「悪漢小説」ではない、といった見方もありますが、まあ広義に解釈して、己の信念で悪を貫く物語ととらえると、読者はその行動にワクワクしたり、破れることで悲哀を感じたりします。

一方で1960年に**高木彬光**の『**白昼の死角**』がベストセラーになりました。実際に終戦直後に起きた東大卒業生による闇金融詐欺事件の「光クラブ事件」をモデルに、学生金融会社「太陽クラブ」の残党の鶴岡七郎が主人公。

七郎は東大法学部卒という頭脳のみならず、肉体を鍛えヤクザにも毅然と対峙する。そして、法の盲点を衝く手形詐欺でのし上がっていきます。やはり映画化、ドラマ化されました。

こうした悪人たちは、**やむを得ずに犯罪者に**なったり、**生きる手段として悪の道に入る**。あるいは**社会に対する怒りや不満**があって悪に染まることが多い。いわば**自分なりの「正義」**があって、むやみに人を殺したりしない、といったケースが多いのが特徴です。

心を持たないサイコキラーの登場

ところが、2010年に出た**貴志祐介**の『**悪の教典**』に登場する熱血教師の蓮見聖児。彼はハスミンと呼ばれて生徒にも慕われているのですが、じつは殺人鬼の顔を隠していて、気に入らない生徒たちを排除していき、ついには大量殺戮へと突き進みます。これまで登場しなかったタイプの主人公でした。

じつはこうした人間としての心を持たない犯罪者というのは、レッスン13の「**サイコサスペンス**」でもあるのですが、探偵側が対峙する相手として登場するようになっていました。

例えば2001年**宮部みゆき**の『**模倣犯**』は、連続殺人者を中心として、容疑者、刑事、被害者（遺族）、記者といったさまざまな人物たちの視点で悪の構造が解明されていきます。

その中心となるピースこと網川浩一も、エリートでありながら独自の犯罪思想を持つ悪人として強烈でした。

宮部みゆきは出世作の『**火車**』で、インパクトのある悪女を登場させました（最後まで登場しないという画期的な構成だったが）。主人公として事件を追いかけるのは、休職中の本間俊介刑事でしたが、彼が追いかける失踪した女「関根彰子」（じつは新城喬子）が強烈でした。壮絶な人生を送っていた美貌の女、喬子は自身の過去（戸籍）を消すために、他人の女を殺してまで、その人生を奪おうとします。

そしてイヤミスの悪女ブーム

こうした女流作家が火をつけたブームこそが「**イヤミス**」でした。

イヤミスの定義は、読み終わって嫌～な気分になる後味のミステリーということですが、最初にこの言葉を唱えたのは、ミステリー研究家の霜月蒼さん（『アガサ・クリスティー完全攻略』という素晴らしい評論がある）ということ。

２００７年の『本の雑誌』１月号による前年のベストミステリーを特集した記事で「このイヤミスに震えろ！」を書かれている。さらに２０１５年５月に発表された**クリスティー**の『**シタフォードの秘密**』を紹介したコラムの中で、

> そもそもミステリは怪奇小説と同じ血脈にある。その嚆矢である「モルグ街の殺人」からして、「論理ゲーム」としては不必要なほどの血糊と残虐性で彩られていた。「ミステリ」という小説特有の快楽には、「知」のクールネスと同じ比重で「血」の暗い愉悦が仕掛けられているというのが、わたしが「イヤミス」という言葉を提唱するに至った仮説である。

とあります。つまり、本来のミステリーの味わいを取り戻したのだ、というのが霜月さんの主張でしょうか。

ともあれ、こうして定着したイヤミスですが、まず「イヤミスの女王」という冠を与えられた作家こそが**湊かなえ**。彼女は衝撃的な『**告白**』で、一気に人気作家に躍り出ましたが、その冒頭に掲載され、最初に「推理小説」新人賞を受賞したのが『**聖職者**』。

中学校の女教師が卒業前の最後のホームルームで、生徒たちに牛乳を飲ませながら、「私の娘はこのクラスの生徒に殺された」と告げる。そこから彼女の独白で、綿密に計算された復讐劇が始まる。

この『聖職者』から、因縁が連鎖する形式で殺人劇が紡がれる連作集が『告白』でした。以後も精力的に悪の世界、悪を貫こうとする人物のドラマを描いて読者を獲得していきました。

さらに『**彼女がその名を知らない鳥たち**』の**沼田まほかる**と、『**殺人鬼フジコの衝動**』の**真梨幸子**の二人を加えて、「三大イヤミス女王」と称したりしたことで、女流がイヤミスの担い手になっているという印象を与えました。

もちろん、前記の貴志祐介だったり、『**GOTH**』の**乙一**、『**火の粉**』の**雫井脩介**、『**満願**』の**米澤穂信**という男性作家たちも、イヤミスの担い手とされていたりします。

ともあれ、悪女ものというならば、**桐野夏生**の『**OUT**』や『**グロテスク**』も入れたいし、個人的に注目している作家としては、『**強欲な羊**』の**美輪和音**も挙げたいところ。

こうしたイヤミス的な悪の世界は、後味がどうであれ読者を虜にするミステリーのジャンルであることは間違いなく、これからもさらなる悪漢、悪女たちの登場が待たれます。

悪の権化レクター博士登場

外国作品の「悪漢もの」について書いておくと、やはりレッスン10のハードボイルドやノワール小説と重なります。

それらをのぞくと、例えば、1953年、23歳の**アイラ・レヴィン**が書いた『**死の接吻**』の主人公は、資産家の娘に近づきのし上がろうとする男。だが第一部はこの男の視点で、自身の生い立ちや動機、犯罪を施行する過程をつぶさに語りながら、彼の名前は明らかにされない。

第二部は被害者の姉の視点で語られることで、誰が容疑者なのかわからない。さらに第三部はまた別の人物の視点で真犯人の男と対決をする。悪人の内心を描きながら、正体を隠すという凝った手法で絶賛されました。

以後寡作ながらレヴィンは、ミステリーの枠に収まらない多彩な衝撃作を出し続けます。

寡作というともう一人名前があがるのは**トマス・ハリス**。１９７５年にテロリストとの攻防をサスペンスフルに描いた『**ブラックサンデー**』がデビュー作ですが、なんといっても88年に発表した『**羊たちの沈黙**』は、以後のミステリーに「サイコサスペンス」のジャンルを確立させるほどの衝撃でした。

主人公はＦＢＩの捜査官クラリスですが、彼女のパートナー的な存在として登場するハニバル・レクター博士こそ、悪漢中の神的な存在となりました。『羊たちの沈黙』は連続猟奇殺人を追いかけるクラリスの捜査と並行して、異常性ゆえに拘束されているレクター博士の犯罪を描く物語でした。天才レクターの安楽椅子探偵ぶりだけでなく、**想像を絶する悪の手法**こそが本シリーズの魅力でした。

レクター博士と捜査官クラリスの存在感とインパクトは、**ジョナサン・デミ**監督による映画化で定着したとも言えます。レクター博士をアンソニーホプキンス、クラリスをジョディ・フォスターが演じ、アカデミー賞の主要五部門も受賞しました。

孤独で美しいトム・リプリー

悪漢ものや悪女ものは、映像化との相性がいい。俳優が持つ演技や魅力で、さらに悪が輝くという効果を高めます。

例えば、**パトリシア・ハイスミス**原作の『**太陽がいっぱい**』。主人公のトム・リプリーは貧しい出自で野心家の青年。富豪のグリーンリーフ夫妻に、連れ戻すように頼まれて、イタリアにいる夫妻の息子のデッキーに会いに行く。自由きままに金を使うデッキーと過ごすリプリーは、彼を殺して自分が成り代わる完全犯罪をもくろむ……。

有名な逸話ですが、原作は犯罪計画を遂行する過程でハラハラドキドキさせながら、リプリーは捕まらずに完全犯罪を成し遂げてしまいます。後にハイスミスはリプリーを再登場させるミステリーも書いています。

しかし、何といっても**ルネ・クレマン**監督による映画化作品の鮮烈さ。リプリーを演じたアラン・ドロンの悪魔的な美貌とイタリアの海との対比、ニーノ・ロータの哀愁に満ちた主題曲などなど。そして犯罪が発覚してしまう（原作にない）ショッキングシーンとラストシーンで、名作映画として記憶に刻まれました。

このように映画（あるいは俳優）によって、悪のキャラクターの魅力が際立つ例も多々あります。

近年ではアメリカン・コミックの一悪役に過ぎなかった**『バッドマン』シリーズ**の**ジョーカー**。シリーズではいろいろな俳優が演じていますが、印象的だったのは、1989年の『バットマン』の敵役だったジャンク・ニコルソン版や、2008年**『ダークナイト』**のヒース・レジャー版。

ヒース・レジャーは映画の後で死亡したという事実があったとはいえ、主演のバッドマン以上に観客に悪の存在感を示していました。

そして記憶に新しい19年版のホアキン・フィニックスが演じた『**ジョーカー**』は、脇役だった彼を主人公として、いかに悪の道、さらには悪のヒーローとなっていくかを描いていて、観客の心を摑みました。

“恋”ゆえに悪に染まる女たち

さて、悪は悪でもグッと魅力的になるのが**ファムファタール（悪女）**もの。

歴史で辿ると、悪女というとやはり権力者が多い。ローマ帝国のシーザー（カエサル）やアントニウスを、美貌を武器にたぶらかす**クレオパトラ**なんて、美女の代名詞にもなりました。

中国ならば酒池肉林の言葉を生み出した**妲己**《だっき》、唐の女帝で君臨した**則天武后**《そくてんぶこう》とか、ライバルの妃の手足を切り落として壺に押し込んだ（このエピソードはフィクションなのだとか）**西太后**《せいたいごう》とさすが大陸なみにスケールが大きい。

日本だと、歴史的に名前が挙げられる三大悪女は、源頼朝の奥さんの**北条政子**、応仁の乱を生んだとされる**日野富子**、そして豊臣政権を滅ぼす道筋を作った**淀君**とされています。

彼女たちが悪女というのはレッテルで、要するに男が運ぶ政に介入したというのが嫌われたとしか思えません。

実在した女性だと、明治時代に首斬り山田浅右衛門に最後に斬首された女性とされる**高橋お伝**。強盗殺人の容疑で処刑されたのですが、相手に騙されたことがきっかけとされています。

フィクションの悪女だと、**井原西鶴**の『**好色五人女**』とかに登場する女たちは、むしろ恋に狂って悲劇的な運命を辿るケースが多い。

例えば、**八百屋お七**をモデルとした「恋草からげし八百屋物語」のお七は、火事で会った愛しい男ともう一度会いたいという思いが高じて放火してしまい、火あぶりの刑に処せられる。

こうした実事件に材をとった創作だと、**近松門左衛門**が書いた人形浄瑠璃の世話物『**心中天網島**』は道ならぬ恋に落ちた男女の心中に至るまでの物語で、ヒロインの小春は悪女とはいえません。

女版ルパンの黒蜥蜴

男を迷わせる悪女としては、大正時代に発表された**谷崎潤一郎**の『**痴人の愛**』の**ナオミ**でしょうか。文豪が書いたある意味自伝的な物語。主人公の男・譲治がたまたま知り合った妖艶で奔放な美少女にのめり込み自滅していく。

男を手玉にとるナオミですが、悪女というよりむしろ小悪魔というのが相応しい。エロチックさが売りとなり、何度も映画化されました。

ただ『痴人の愛』はミステリーではなく文芸作品。ミステリー的な要素のある小説としては、**有吉佐和子**のその名も『**悪女について**』。スキャンダルまみれだった美貌の女実業家・富小路公子が謎の死を遂げる。この死の真相を巡って、公子が関わった27人の人物たちの証言によって綴られる。そこから次第に明らかになる公子の実像とは？

こうした小悪魔的な女ではなく、はっきりとミステリー的な悪女というと、**江戸川乱歩**が登場させた**黒《くろ》蜥蜴《とかげ》**でしょうか？　名探偵の明智小五郎と対決する美女盗賊として乱歩が世に送り出しました。

出生など謎のままの美貌の女盗賊で、左腕に黒いトカゲの刺青がある。夜の東京で、宝石など美しいものを盗む。なかでも、人間剝製化という手法で、さまざまな人種の美しい男女をコレクションしている、というのはいかにも乱歩の耽美趣味が発揮されていました。

何度も映像化、舞台化されていますが、なかでも舞台では、**三島由紀夫**による戯曲が評判を得て、さらに美輪明宏の当たり役として定着しました。

黒蜥蜴は意図的にリアリティを排除して、誇張された悪のヒロインでしたが、むしろ日本では、前述したようなイヤミス系のリアルな悪女たちが次々と登場し、悪の魅力を競い合うようになっています。これからさらに、男たち（彼らは一様に、こうした悪女に魅入られて破滅の道を歩むことになっている）を惑わす悪女が登場し、悪を極めていくのは間違いありません。

恐怖を与える映画の悪女たち

さて、代表的な悪女について、外国版を簡単におさらいしておきます。

まず真っ先に、観客を恐怖のどん底に落とした悪女として思い出されるのは、１９５５年に製作された**アンリ＝ジョルジュ・クルーゾー**監督によって映画化された**『悪魔のような女』**。原作はフランスのミステリー作家**ポワロ＆ナイスジャック**。

小学校の粗暴なミシェル校長を、病弱な妻と彼の愛人が結託して窒息死させプールに沈める。ところが、そのプールから死体が消えてしまい、二人の周囲に死んだはずのミシェルの影がちらつき……。

追い詰められていく妻と、背中を押す夫の愛人。そして二人で実行する殺人の過程。そして遺体が消えてからの忍び寄る恐怖。クライマックスのバスタブのシーンは、ホラーとしても秀逸でした。

愛人を演じたシモーヌ・シニョレの悪女ぶりが特筆され、以後の怖い女の原型を作ったともいえます。

原作はかなり人物設定が違っていて、特に殺すのは夫のほうで、妻の遺体が消えてしまって、という展開になっていました。原作も遺体失踪の謎や追い詰められる心理は書き込まれていますが、『太陽がいっぱい』同様に、映画が原作を凌駕した例といえるかもしれません。

ヒッチコックはこの映画に触発されて『**サイコ**』を撮ったと言われています。ただ、サスペンス、スリラーの傑作をたくさん残したヒッチコックですが、いわゆる徹底的な〝悪女〟をあまり登場させていません。むしろ被害者や、悪人に追い詰められる女性が多い。

美女好きのヒッチコックゆえかもしれません。ただ、男を紛らわせる妖しい女は登場させていて、その代表が『**めまい**』のキム・ノヴァク演じる人妻マデリン（ジュディ）でしょうか。

で、この映画の原作者こそポワロ&ナイスジャックで、そもそも『悪魔のような女』の映画化を熱望していたヒッチコックのために、彼らが書き下ろしたミステリーが『**死者の中から**』でした。

ジェームス・スチュアート扮する刑事を、死んだ女とそっくりになりすまし、めまいを覚えさせるほどに幻惑させます。

蠱惑的こそ悪女の必須条件

クルーゾーやヒッチコックの系譜を受け継いだ悪女は、その後も次々と誕生していきました。

映画で辿ると、キャスリーン・ターナーが、デビューするなりその悪女ぶりを印象づけた『**白いドレスの女**』。ウィリアム・ハート扮する弁護士を誘惑し、夫殺しを仕掛ける謎の美女ぶりを発揮しました。この秀逸なミステリーは原作はなく、**ローレンス・カスダン**監督がオリジナルの脚本も手がけています。

ターナーはその後も『**ローズ家の戦争**』では、マイケル・ダグラスの夫と壮絶な殺し合いを演じました。

さらに『**シリアル・ママ**』はもっと凄まじく、善き妻であり母でありながら、家族の平和を脅かし、社会のルールを守らない輩に容赦なく制裁を加えていきました。こちらも**ジョン・ウォーターズ**監督によるオリジナル脚本でした。

エロチックな悪女を演じて一躍脚光を浴びた女優というと、**『氷の微笑』**のシャロン・ストーン。マイケル・ダグラス（やっぱり！）の刑事を翻弄する容疑者としていくつもの顔を持つ小説家でした。

これも原作はなく**ジョー・エスターハス**によるオリジナル脚本ですが、二転三転するおもしろさの脚本の買い付け額に、当時最高額の300万ドルの値が付いたと話題になりました。あまりの我が国との差に、唖然としたことを覚えています。

そういえばマイケル・ダグラスといえば、悪女にたぶらかされて酷い目にあう男が似合っているのか、**『危険な情事』**ではちょっとした遊び心で浮気をしたグレン・クローズにつきまとわれるハメになり、殺されかけたりしていました。この時のクローズの鬼気迫る恐ろしさに、世の男たちは震えました。

あるいは、2014年製作**ディヴィット・フィンチャー**監督の**『ゴーン・ガール』**は、**ギリアン・フリン**（脚本にも参加）原作の映画化作品。

ロザムンド・パイク演じるエイミーは、夫を窮地に落とし、降りかかるアクシデントも利用して、悪を貫くことで生き残っていくまさに現代型のタフなヒロインでした。結婚における妻の恐ろしさも突きつけてくれました。

また、最近ではマーベラス系コミックの映画化（例えば**『ハーレイ・クインの華麗なる覚醒』**のように）、男性を凌駕する暴力的なヒロインとなっていて、爽快感を与えてくれます。

あげるとキリがないのですが、やはり**男を惑わせて破滅させる悪女**こそが、最大のファムファタールの条件といえそうです。

男は基本的にバカですから、酷い目にあうと予感しながらも、捕虫器の光に引き寄せられる虫みたいに、魅力的な悪女に引き寄せられてしまう。

そうした**個性的かつ蠱惑的**（皿の上に虫が三つも）**な悪女**を、どう造型できるかがおもしろさのポイントでしょう。

LESSON 13

サスペンスとホラーの境目はどこだ？

ハラハラドキドキさせるにも……

さてミステリーの重要なジャンルのひとつが **「サスペンス」** ですが、レッスン1で述べた通りで、そもそものミステリーの定義であったり、その代表でもあるサスペンスとの違いなり、区別の仕方がはっきりしていません。

このレッスン1では「コンサイス外来語辞典」とかで書かれている「サスペンス」の意味について、〝**不安・気がかり**〟とか〝**宙ぶらりんにする**〟さらには〝**緊張感、小説、映画などで、読者・観客をひきつけるために作品に盛り込む不安・懸念の情**〟という意味、さらに〝**サスペンス・ドラマ　心理的緊張感を中心とする劇**〟というのも引用しました。

「ミステリー」は相対的なくくりで、いろいろなジャンルを包括しているのですが、「サスペンス」と言った場合は、心理的であろうが、直接的な危機であろうが、**人物（主に主人公）を宙ぶらりん状態**にする。つまり、ハラハラドキドキするような場面、局面を見せ場として据えるような作品こそが「サスペンス（ドラマ）」になるわけです。

もうひとつ、「サスペンス」と近いような遠いようなジャンルとして **「ホラー」** というのがあります。この「ホラー」は、言ってみると〝**怖さ**〟〝**恐怖**〟で読者、観客を震わせるのですが、上記の〝不安・気がかり〟と近い。

じゃあ「ホラー」は「ミステリー」に含まれるのか？　と問われると、「うーん、微妙に違う」と答えるでしょう。これらの違い、差とはなにか、について考えてみましょう。

浮気発覚もサスペンス？

その前に「サスペンス」ですが、ミステリーと同様にサスペンスも広義となる場合と、狭義にジャンル分けする場合があるでしょう。

例えばレッスン6で解説した「刑事もの」であっても、主人公の刑事が銃撃戦といったアクションが主流となるとジャンルとしては「ポリスアクション」になりますが、真犯人に襲われて殺されそうになって、というハラハラドキドキがメインとなれば、「刑事もののサスペンス」になったりします。

もうひとつ、これもレッスン1で述べましたが、近年はあまり使われなくなったジャンルとして「スリラー」があります。もともとは「スリル」から来た用語ですが、意味もハラハラドキドキ状態ですし、「スリルとサスペンス」というように、ほぼ同義語として使われます。

ともあれ、緊張であったりハラハラドキドキのスリル、サスペンス要素は、物語をおもしろくする要素になります。

例えば、ホームドラマであったとしても、夫と妻がいて、妻はひどく嫉妬深い性格で、夫は夫婦喧嘩をしたくなくて、妻から浮気を疑われないように気を使っているとします。それなのにその夜は会社の忘年会があり、部下の女性と大いに盛り上がってしまった。

その女性の香水の匂いが残っていたり、口紅がワイシャツに付いてしまったまま帰宅してしまった。この痕跡を妻に見つからないように、夫はあれこれと画策するけれど……。

そうした場面、設定があるだけで、夫婦のホームドラマだとしてもおもしろく描くことができます。

ただ、そうしたスパイス的な盛り込み方があったとしても、ジャンルとしての「サスペンス」とは言えないでしょう。

鬼妻が悪女となる時

前記の嫉妬深い妻と、恐妻家の夫という設定で、

「サスペンスドラマ」として成立させるならば、実際に夫が浮気をしてしまう、もしくはしていなくても、妄想癖を高じらせた妻が、嫉妬のあまり殺人鬼と化してしまう。

疑われた会社の部下が襲われ（殺され）たり、果ては夫も妻から殺されそうになって……。

こうなると間違いなく「サスペンス」になります。さらにレッスン12で解説しましたが、この妻がそもそも悪女の資質を秘めていて、良心の呵責とかなく殺人を繰り返していく女だった。あるいはじつはその妻は、保険金が目的で夫となる男を次々と葬っていたことが発覚する。こうなると**「悪女（ファムファタール）もの」**になるでしょう。

あるいは、殺人事件をもってこなくても、夫と妻の感情のすれ違いから、二人の夫婦関係に亀裂が入り、それがどちらかの精神を病んでいって、という作品ならば、**「心理サスペンス」**になります。

さらに、資質としての根っからの殺人鬼だった、とすればいわゆる**「サイコサスペンス」**というジャンルにグレードアップします。

この場合はもちろん、男女関係なく人間らしい常識とか良心そのものを備えていない〝**殺人鬼**〟でというジャンルとして確立され、今や「サイコサスペンス」は百花繚乱の一ジャンルとなっています。

というように、こうしたジャンルの境目が曖昧もしくは、境目そのものがダブっているのが実情なのです。

で、ミステリーの中のジャンルとされる「サスペンス」あるいは「スリラー」に共通する要素として考えられるのは、やはり〝恐怖〟でしょうか。動物としての人間は、本能的な感情としての恐怖心は誰もが持っていて、それを刺激する物語はずっと創られ続けてきました。

さて、そこでジャンルとして見逃せないのが「ホラー」です。

ホラーもまた百花繚乱

このテキスト本は「ミステリーの書き方」ですので、本来「ホラー」はここに含まれないはずです。

例えば大ベストセラーとなり、その後も手を変え品を変えて作られ続ける**鈴木光司**原作の**『リング』**が、世に出る逸話をレッスン2でご紹介しました。

当初鈴木さんが応募した「横溝正史賞」は規定として、「ミステリー小説」を想定していたために、貞子の呪いで死者が次々と出るという設定は「ホラー」とされて受賞を逃しました。

今ではこの賞は「横溝正史ミステリ＆ホラー大賞」（正式には2018年に単独であった「日本ホラー大賞」が統合された）と名前が変わって、広義のミステリーでもホラーでも可と規定が変わりました。

ともあれミステリーやサスペンスと、ジャンルまたぎをすることも多い「ホラー」について簡単に。

「ホラー」の定義はまさに〝恐怖〟であり、それを読者、観客に感じさせる娯楽作品です。**〝怪奇もの〟〝怪談〟**といった文字が当てられたりもします。

ただこの「ホラー」も、さらに細かくジャンル分けできますし、多岐にわたります。古くからある**〝怪談〟**や**〝ゴシックホラー〟**はその代表ですが、**〝オカルト〟〝サイコホラー〟〝パニックホラー〟〝スプラッタ〟〝怪物（モンスター）〟**など……。

さらに昨今のブームといえる**〝ゾンビ〟**もホラーのメインジャンルになっています。これについては後述します。

あるいは〝パニック〟に属するかもしれませんが、映画の一ジャンルとなった**〝シャーク（人食い鮫）〟**ものもあります。かの**スピルバーグ**監督の**『ジョーズ』**が契機になって、以後飽きもせずに、まさに海から湧いてくるみたいに映画が作られ続けています。ワニとか巨大ヘビ、ピラニア、熊とか、あるいはプレデターみたいな宇宙から来た生物だったりもしますが、圧倒的人気はサメですね。

つまり、「ホラー」だけでも数冊の本になるくらいに、さまざまな作品が生み出されているわけです。

ファンタジーこそ物語の始まり

もうひとつついでに述べると、ジャンル被りとして「ホラー」はいわゆる「**ファンタジー**」とも重なります。

あらためて解説するまでもなく、「ファンタジー」

もそれだけで本になるくらいに多岐にわたりますが、人間はそもそも幻影なり幻覚を見る生き物で、それを物語化したのが「ファンタジー」です。

「ホラー」のルーツである「怪談」は、不可解な怪しい物語です。特に人間は誰でも死を迎える。死後の世界だったり、死者（つまり霊）の存在、それらとの遭遇といった解析できない体験話を他者に語って聞かせた。

物語の始まりは、ストーリーテラーと言われる語りのうまい人がいて、その人が家族や一族に「こういう不思議なことがあったんだ」と巧みに物語として披露したはず。その多くは死に関したファンタジーでした。不可解で恐ろしい話こそが、まず聴衆の心を摑んだのです。

すなわち物語の発生はファンタジーであって、それも怪談だったはずです。

もうひとつついでに述べておくと、「ファンタジー」は「**SF**」と括られたりすることも多い。基本的には「SF」はサイエンス・フィクション（Science Fiction）の略で、科学的な要素・空想によるフィクションです。

で、SFの定義だったり、ファンタジーとの違いなどもあれこれと論議されてきたのですが、まあ あまり厳密に定義づけても仕方がない気がします。

わかりやすく「タイムトラベル」とか「タイムスリップ」「タイムワープ」ものでいうと、ある日突然、目覚めたら江戸時代に来てしまっていたら「ファンタジー」で、タイムマシンに乗って来たのなら「SF」でしょうか。

もちろん、例えば地球の基軸に歪みが生じて、たまたまそのエネルギーが主人公に集中してしまったことからタイムスリップしてしまう、といった理由づけをしたら、いきなりであっても「SF」に近くなります。

傑作SFホラー『エイリアン』

どんどん「ミステリー」から離れるようですが、そもそもジャンルは細密化すると同時に被るのが当たり前です。

これも例をあげると、大ヒット映画シリーズとなった、第一作の**リドリー・スコット**監督の『**エイリアン**』。宇宙空間を航行する宇宙貨物船内で、宇宙飛行士のリプリー（シガニー・ウィーバー）たちが、侵入してきたエイリアンと戦う物語。原案・脚本の**ダン・オバノン**が執念で誕生させた傑作です。

ジャンルとしては「ＳＦホラー」とされていますが、まさにリプリーが恐怖体験を強いられる「サスペンスホラー」でもありました。上記の「怪物」ものの新たなスターこそ、**Ｈ・Ｒ・ギガー**が生み出したエイリアンです。

ちなみに続編の**ジェームズ・キャメロン**監督の『**エイリアン2**』は、ホラー色は薄くなり、逆に戦争アクションの要素を強くして、前作と違うジャンルに作り直しました。これはこれで新しいアプローチ法なわけです。

話を「ホラー」に戻すと、「ミステリー」との違いは、「恐怖」の度合いでしょうか。つまり「恐怖」に特化すればするほど「ホラー」に近づく。

この「ホラー」も今あげた『エイリアン』だったり、ゴシックホラーから生まれたスターとしての**「吸血鬼ドラキュラ」**や**「フランケンシュタインの怪物」**（厳密にいうと〝フランケンシュタイン〟は怪物の名前ではなく、怪物を生み出した博士の名前なので）、古代エジプトから蘇った**「ミイラ男」**、**Ｈ・Ｇ・ウエルズ**が誕生させた**「透明人間」**といった、人間ではない何者かが人間を脅かす「ホラー（怪奇もの）」**「モンスター」**がまずあります。

増殖し続けるゾンビ

で、これら〝怪物〟に新たに加わったスターこそが「ゾンビ」です。当初のブードゥー教の秘術から生まれたゾンビから、**ジョージ・Ａ・ロメロ**監督が誕生させた『**ナイト・オブ・ザ・リビングデッド**』の「ゾンビ」へと変異します。

もともとは人間だった死者が蘇り、人間を襲い食べる化物となって拡大していく。ロメロ監督が作ったゾンビ像は、世界各国に、それも映画を中心に仲間を増やしていったのはご存じの通り。

こうした人間ではない得体の知れない存在が、人間

『ナイト・オブ・ザ・リビングデッド』1968年　出典：ウィキメディア・コモンズ

を脅かすという作品群は、「ミステリー」の枠をはみ出して、やはり「ホラー」のジャンルにカテゴライズされるわけです。

もちろん**ジャンルミックス**化というのもあって、（ネタバレになるので詳しく書けませんが）近年話題を呼んだ**今村昌弘『屍人荘の殺人』**などは、クローズドサークルの密室殺人もののミステリーがメインになっています。

あるいは日本のゲームを原案として生まれた**『バイオハザード』**シリーズは、「SFアクションホラー」（かつ**「サバイバルパニック」**ものでもある）で、ミラ・ジョヴォヴィッチ扮するアリスが戦うのは、アンデッドと名付けられたゾンビです。

この作品になると、（巨大企業の謎を解いていくという要素は別にして）もはや「ミステリー」ではなくなっています。

ともあれ「ゾンビ」はコメディだったり、SF、学園もの、恋愛ものとしても増殖していて、ある意味「ホラー」の枠からもはみ出しています。

ゴーストスターは圧倒的に女性

もう少し「ホラー」について。

こうした「怪物」や「化物」とは一線を画するのがいわゆる「**幽霊（ゴースト）**」になります。死んだ人間が霊となって人間を脅かす。

これが日本だと主に「怪談」になりますが、当然西洋とも若干毛色が違ってきます。日本はむしろ幽霊となる故人と、生きている側の人間との因縁であったり、関わりが重要になります。

アウトローの一人として挙げた『**四谷怪談**』の**民谷伊右衛門**は、悪を尽くして周囲の人間や、自分を信じていた妻のお岩を殺害したことで、その霊に復讐される。

あるいは「恋愛もの」でもありますが、**三遊亭円朝**『**牡丹灯籠**』は美しい幽霊お露に取り憑かれる浪人者、荻原信三郎の愛を貫く悲劇です。

こうした日本のホラー（怪談）「幽霊」は、『**リング**』の**貞子**だったり、『**呪怨**』の**伽耶子**と**俊夫君**のように、幽霊としての怨念、恨みといった、いわばお岩さんの遺伝子を継いでホラースターになりました。

不思議なことに日本のこれら「怪談」スターは圧倒的に女性です。稀に男性の霊もありますが（能に登場する有名人の霊とか、『**生きてゐる小平次**』みたいな）、怖さを武器として現れるのは女性霊が多い。やはり女性のほうが魅力的で絵になり、思いも（相対的にですが）濃いせいでしょうか。

ともあれ日本の「幽霊」に対して、西洋の「ゴースト」となると、俄然宗教色が加わります。キリスト教文化における悪魔とか悪霊といった概念が、影響を及ぼすせいかもしれません。

例えば、レッスン12で紹介した『死の接吻』の**アイラ・レビン**の『**ローズマリーの赤ちゃん**』とか、神父が除霊をするウィリアム・ピーター・ブラッディ原作『**エクソシスト**』を見れば、そうした宗教的な裏付けゆえに成立する「ホラー」になっているのがわかります。

こうした「ホラー」について挙げているとキリがありませんが、近年の代表例ならば、新しいホラー映画の旗手として登場したアリ・アスター監督の『ヘレディタリー／継承』であったり、（異様に画面が明るいけど怖い）『ミッドサマー』は、まさにジャンルとしては「ホラー」ですが、やはり西洋型の宗教性が背景にありました。

人間こそが怖い「サイコサスペンス」

ということで、現在日本では広義に「ミステリー」というくくりがあって、「サスペンス」は明らかに「ミステリー」の中の一ジャンルです。

それに対して「ホラー」は、「ミステリー」とは一線を画すのですが、兄弟姉妹みたいな関係性で、似ている、被っているところもある、ということでしょうか。ゆえに「ミステリー」の一ジャンルとして「ホラー」もあるよ、という意見もあっていい。

ただ、あえて線引きすると、「幽霊」や「怪物」、あるいは「超常現象」が人間を脅かす話となると完全に「ホラー」です。当然〝不安〟〝緊張〟〝恐怖〟といった感情に訴えるのですから、「サスペンス」要素も多分に含まれていることにもなりますが。

それで、「ホラー」の一ジャンルに目されることが多い「サイコサスペンス」があって、これは「ミステリー」のひとつになる場合もあります。

通常この「サイコサスペンス」は、〝恐怖〟を与える側も〝人間〟ということになります。幽霊やゾンビ、フランケンシュタインの怪物、ミイラ男は、過去は人間だったけど、今は違う。吸血鬼ドラキュラは人間の姿をしていますが、やはり人間ではない。

ちなみに述べておくと、水木しげるさんとかが体系づけて確立したさまざまな妖怪、怪物、化物、（一反木綿とか砂かけ婆、小豆洗いとか）は、まさに妖怪であって幽霊とはまた違います。民俗学とかおとぎ話などに登場していた異形の者たちです。

で、「サイコサスペンス（ホラー）」は、人間なのだけど人間としての心を有していないサイコパスが主人公、もしくは彼らが主人公らを追い詰める物語です。そしてある意味、一番怖いのは「人間」だよ、とも言えます。

スリラーの天才ヒッチコック

これもまた、映画でサンプルをあげて解説するのがわかりやすいでしょう。「サイコサスペンス」について述べる前に、〝恐怖〟なり〝不安〟を描く「サスペンス」or「スリラー」の系譜について簡単に。

〝スリラーの帝王〟の称号を与える映画の創り手というならば、文句なしに**アルフレッド・ヒッチコック**の名前があがります。観客を画面に釘付けにして、息を飲ませ、ドキドキさせる映画づくりに生涯を捧げた監督といえます。

ヒッチコックのミステリー、サスペンスの手法を分解したり、解説した本はたくさん出ています。なかでも、**フランソワ・トリュフォー**がインタビュアーになって、全作品についてヒッチコックに聞き出した**『定本　ヒッチコック　トリュフォー　映画術』**(晶文社)は創作志望者は必読です。

実際の映画をＤＶＤなどで観ながら、この本を読むとヒッチコックがどう発想し、どう人物や場面を作っていったか？　という手法が学べます。

もうひとつ、ミステリーの原作からどう映画にしていくか？　という脚色のアプローチとしても最良のサンプルです。

例えば、名作の**『裏窓』**は、レッスン9で紹介した**ウィリアム・アイリッシュ**の短編が原作です。怪我をした主人公が自室で動けないために、退屈しのぎで裏窓から見えるアパートの各家をのぞき見しているうちに、殺人事件に気づいてしまう。そこから殺人犯に襲われるはめになり……。

この設定や展開は原作を踏襲しています。ただ、原作は主人公（一人称の私）と彼の介護に雇われたサム、私の友人の刑事がいます。映画は主人公ジェフ（ジェームス・スチュワート）を介護する年配の看護師を女性にして、恋人リザ（グレース・ケリー）を加えています。

映画的としての華やかさだけでなく、リザが動けないジェフの代わりに、犯行現場のアパートに侵入しに行く、犯人の男が部屋に帰ってこようとするのを、ジェフはハラハラして見て、報せようとするが……。

そうしたまさにサスペンスシーンが生まれています。

また、映画版のジェフの職業をカメラマンとして、望遠レンズやフラッシュといった小道具をうまく使っています。ジェフとリザの結婚をめぐる意識の違いと、それゆえに原作と違う結末も絶妙。これも脚色の技です。

ともあれ、サスペンスを際立たせる作りとして、視点者（主人公）はアパートの一室にいて動けない、というハンディが効いています。

さらに付け加えるならば、**謎としてのミステリーの要素**としては、犯人は死体をどこに隠したのか？　主人公がその手がかりを見つけるまでの**推理の過程**です。限られた**シチュエーション**と**人物設定**、原作、映画ともに見事なサスペンス&ミステリーといえます。

記念碑的名作『サイコ』

ヒッチコックはさまざまな手法を駆使して、それまでになかったスリラー、サスペンス映画を世に送り出しました。例えば1963年の『**鳥**』は、空を飛ぶ鳥たちが突然人間を襲い始める物語。いわゆる「**動物パニックもの**」の原点的な作品で、以後70年代に大ブームを起こします。

この『鳥』に先駆けて、60年にヒッチコックが製作した記念碑的な一作こそ**ロバート・ブロック**原作の『**サイコ**』です。

不動産屋に勤めるマリオン（ジャネット・リー）が店の金を持ち逃げして、脇道にひっそりとあるモーテルに泊まる。そのモーテルは、善良そのものに見える若き経営者のノーマン・ベイツ（アンソニー・パーキンス）が一人で切り盛りしていた。

その夜、シャワーを浴びていたマリオンを、巨大なナイフを持った何者かが襲いかかり、彼女は無残にも殺されてしまう。その後でノーマンが現れて、血に染まったバスタブを洗い直し、クルマごとマリオンを裏の沼に沈めてしまう。

特にヒッチコックが精緻を凝らして撮ったシャワールームの殺害シーンは、映画史に残る名シーンのひとつで、以後もサスペンス、スリラー映画に大きな影響をもたらしました。

主人公と目されていたヒロインが、映画が始まって3分の1くらいで殺されてしまう、というのも画期的でしたが、以後観客が感情移入することになるノーマンは〝母親の殺人〟を必死に隠蔽しようとする。じつは彼こそが……。

衝撃のシャワーシーンを経て、終盤にマリオンを襲った何者かの正体が明らかになる場面に観客は息を飲みました。

この映画はじわじわと恐怖を盛り上げていく、不安を増幅していくという「サスペンス」手法よりも、いきなりショック！　という効果を狙っていて、そうした意味でも画期的な映画でした。

快楽殺人者の出現

この『サイコ』を嚆矢として、以後いわゆる「**サイコサスペンス**」「**サイコホラー**」「**シリアルキラー**」「**殺人鬼もの**」というジャンルが枝分かれして発展していきました。

ちなみに「シリアルキラー」は〝連続殺人犯〟という意味で、殺人を犯すための理由や動機づけといったことよりも、殺人そのものを快楽としてしまうようなサイコパスをいいます。

ついでに「**スプラッター**」は血しぶきのことで、そういう場面を見せ場とする（どちらかというと趣味の悪い類いの）ホラー映画です。

例えば、74年に彗星のように現れた**トピー・フーパー**監督の長編デビュー作『**悪魔のいけにえ**』は、スプラッター色を含みつつ、コテコテの「サイコホラー」。人間の皮を加工したマスクを被り、チェーンソーを武器に襲ってくるレザーフェイスの恐ろしさときたら。たまたま立ち寄った若者たちが、この怪物に次々と殺されるのですが、その家族全員がいわばサイコパスという異常さ。

この映画には、エド・ゲインという実在した殺人犯のモデルがいたとされています。彼の連続殺人自体も映画化されていますし、『サイコ』のノーマン・ベイツにも影響を与えています。

あるいは、こうした「サイコパス」が登場する映画としては、レッスン7で例とした『**羊たちの沈黙**』。

主人公はFBI捜査官のクラリスですが、アドバイスをするレクター博士もある意味天才型サイコパスです。その二人が女性を誘拐して殺してしまうシリアルキラーを追い求めるミステリー。

サイコパスが駆け巡る

さらに**スティーブン・キング**の原作による映画もたくさんあります。作家と彼が書いた小説に異常な愛情を示す『**ミザリー**』。雪に閉ざされた巨大ホテルで、(自称)作家が狂っていく恐怖を描いた**スタンリー・キューブリック**監督『**シャイニング**』(キング自身はこの映画を気に入っていないが)。個性的かつインパクトの強いサイコパスはキングならではでしょう。

近年のヒット映画としては、少年期、青年期と続く『**IT／それが見えたら終わり**』も、「サイコホラー」ものです。

映画ではこの他にも、**ジョン・カーペンター**監督の『**ハロウィン**』(74)、**デビット・フィンチャー**監督の『**セブン**』(95)、**ジャウム・コレット＝セラ**監督の『**エスター**』(09)というようにキリがありません。

近いところでは何度も映画化されているいわゆる「怪物(モンスター)」ものの『**透明人間**』(20)。この最新作の脚本・監督は(これも傑作サイコサスペンスといえる)『**ソウ**』の脚本を書いていた**リー・ワネル**ですが、エリザベス・モス扮するヒロインが徹底的に脅かされる、透明人間の彼は完全にサイコパスでした。

あるいはアメリカ産のテレビシリーズをひとつあげると、2005年からスタート、今も続いている『**クリミナル・マインド　FBI行動分析課**』は、FBI内に設置されたプロファイラーユニット、通称BAUの活躍を描くドラマ。

彼らメンバーが全米をまたにかけて追うのは、主にシリアルキラーで、なにしろ彼ら殺人犯の心情は尋常ではないために、捜査は混迷を極めます。

「クリミナル・マインド」は〝罪なる心〟という意味ですが、殺人鬼側だけでなく捜査する者たちも、何らかの心の闇を抱えたりします。

このシリーズは「**プロファイリングもの**」ともいわれて、レッスン6で取りあげた「警察もの」のひとつの形態にもなっています。

「サイコ」ものを書く心得は？

こうした映像作品だけでなく、小説の「サイコ」ものも、ミステリーの中で大きな地図を描くようになっています。それはレッスン12の「悪漢もの・悪女もの」であげた通りです。

正直、私はこのジャンルの（映画は別にして）小説はあまり好みではなく、全体像を把握していません。すみません。

どちらかというと、正統派ミステリーで（サイコパスものが亜流という意味ではありませんが）、犯人側の人物とかにも、殺人等を犯すだけの動機や理由がしっかりとあって、そこからストーリーが展開していくミステリーのほうを選んでしまうからです。

ただ、「サイコパス」もの、いわば「サイコミステリー」のポイントはここにある気がします。

なにしろ犯罪者側には、通常の人間としての精神性や良心、常識、価値観などがない。もちろん、表向きは常識人であったり、エリートとしての素質、才能を発揮しているけれど……という造型が多いのですが。

そうしたサイコパス自身を主人公にして描くにしても、こうした敵と立ち向かう捜査側、探偵側のミステリーとする場合だとしても、**サイコパスの論理なり殺人嗜好をどうリアリティとして作れるか**？

サイコパスなのだから特別な意識もなく殺しを楽しんでいる、だったり、幼児体験としてのトラウマがあって、というようなパターンにしてしまうと新味に欠けるかもしれません。

つまり、サイコパスであっても、その**人物なりの履歴や殺人のやり方**、**嗜好性**とかに、その人物なりの**個性**を与えられるか？

そうした作り込みこそが、ミステリーとしての方向性や、芯となる〝謎〟を生み出すはず。

もちろん、ミステリー色以上に、恐怖色を増して「ホラー」とするのも作者次第。読者なり観客に徹底的に〝不安〟を抱かせて、〝恐怖〟で震え上がらせてくれたら成功になります。

LESSON 14

恋の味つけで「ラブサスペンス」は盛り上がる

「ラブサスペンス」をより理解するために、簡単に「恋愛もの」について考察しておきます。

「恋愛もの」「ラブストーリー」なんて、要するに上記のように〝恋愛〟が描かれているものでしょ、と思われるかもしれません。その通りなのですが、ならばどうして、飽きもせずに延々と〝恋愛〟が題材、いやメインテーマとして描かれ続けるのか？

「恋愛もの」は最も普遍的なジャンルなのですが、人が人を好きになる、愛おしく思う、恋をするという恋愛感情は、人類世界共通だからでしょう。

我が国が世界に誇る長編小説『**源氏物語**』から、シェークスピアの『**ロミオとジュリエット**』、近松門左衛門の『**曾根崎心中**』といった世話もの、エミリー・ブロンテの『**嵐が丘**』、マルセル・カルネ監督の『**天井桟敷の人々**』、マーガレット・ミッチェル

一番不滅なジャンル〝恋愛〟

前項で「サスペンス」について述べました。

この「サスペンス」の中に、もうひとつ重要なジャンルのひとつとして「**ラブサスペンス**」があります。

要するに恋愛がからむサスペンスですが、そもそも小説のかなりの割合は、多かれ少なかれ〝恋愛〟が描かれているものです。近年は恋のカタチも多種多彩で、LGBTとか、プラスしてIとかQとかもあって、そうした性別とかを越えた恋愛もあるのですが、まあそれはひとまず置いておきます。

多くの恋愛ものの中で、特に恋なり愛の要素が事件のきっかけになったり、主人公を追い込んで、危機的な状況を作るジャンルこそが「ラブサスペンス」です。

の『**風と共に去りぬ**』、ウィリアム・ワイラー監督の『**ローマの休日**』などなど、純然たる「恋愛もの」の古典は今も輝きを失わずに残されています。

タイタニックでロミジュリ

単に「恋愛もの」と定義づけた場合は、まさに登場人物たちの恋愛模様を中心に描く物語となるのですが、別のジャンルでありながら「恋愛」の要素を彩りとして入れる場合も多々あります。

例えば『**スターウォーズ**』は、SFもしくはスペースオペラですが、レイア姫を巡ってハン・ソロとの恋がスパイスとして加味されていました。

『**タイタニック**』はパニックものでありながら、恋愛ものとしての要素が濃く、恋愛映画とみなすこともできます。

ちなみに**ジェームズ・キャメロン**監督は、映画会社の重役たちの前で、「タイタニックの船上で〝ロミオとジュリエット〟をやる」と企画のプレゼンをして合意を取り付けたとか。それだけ「恋愛もの」は鉄板なわけです。

さらに、愛情表現、欲求、欲望を突き詰めると性（セックス）にも行き着きます。この性愛をよりクローズアップして描く、もしくはそれを売りとすると、ポルノというジャンルになります。ポルノも恋愛映画の発展形となる場合もあるわけです。

ラブサスペンスも多くの場合、この性（セックス）を絡めて描くことが多いのは、恋愛の発展型としての必然、危うさになりがちだからです。

さらに、恋愛を含めて、主に青春期の多感な時期を描くことを主流とすると「**青春もの**」になります。恋愛よりも友情をメインに置く青春ものもありますが、やはり甘酸っぱい、不器用な恋愛が青春ものを輝かせます。

加えて恋する者同士を引き裂く要素が、死病とかになると「**難病もの**」となって、これも手を変え品を変え作られ続けます。

恋を阻む障害は何か？

さて、「恋愛もの」はどういう設定で、誰と誰とを会わせて恋をさせるか？

いわゆる「**ボーイミーツガール**」「**ガールミーツボーイ**」から始まる（近年は多様化している）のですが、設定と合わせて、恋を繰り広げる人物をどう造型するか？　が、物語の決め手になります。

恋をする二人は、どういう生き方をしてきて、何を抱えているのか？　どこへ行こうとするのか？　性格、職業、境遇、容姿、障害、カセ、秘密……。

こうした人物造型を詰めることで、特に恋愛ものに欠かせない二人の恋を阻む要因がはっきりしてきます。

恋愛物に不可欠な要素は、恋する二人を阻むこの「**障害**」や「**カセ**」です。

もちろん二人ではなく三人、もしくは複数の人物による恋模様が描かれる場合もあります。恋愛物の要素として常套手段となるのが「**三角関係**」ですが、これも人物たちの境遇から生まれるカセになるわけです。

そうした人物像ができたら、彼らを設定の中に登場させて恋模様を描かせるわけです。さて、「恋愛もの」の基本構造は簡単です。

出会い or 再会（恋のはじまり）

▼

進行（対立・障害・カセ・事件・事情）

▼

恋の成就 or 別れ（感情の盛り上がり）

例えば、ミステリー（ハードボイルド）要素も多分に含まれている名作『**カサブランカ**』。舞台は第二次大戦下、フランス領モロッコの町カサブランカ。

ハンフリー・ボガートのリックとイングリッド・バーグマンのイルザの再会から物語が始まります。イルザはフランスから逃れ、アメリカに亡命するためにリックのカサブランカのバーにやって来た。二人はかつて恋人同士でした。

障害、カセとして、イルザは夫を連れていて、ド

『カサブランカ』のポスター、1942年
出典：ウィキメディア・コモンズ

イツ軍から追われている身であること、そして過去にリックはイルザの〝裏切り〟によって心に傷を負っている。ここには「**すれ違い**」や「**誤解**」があった。

イルザはリックを裏切った理由があって、それが彼女の「**秘密**」となっています。こうした事情や事件によって中盤の展開となって、愛を再確認した二人となりますが、リックはイルザのために別れを選択する。

ともあれ、この基本型を念頭に置けば、どんな恋愛ものもつくれますね。要は主人公やその恋愛相手のキャラクター要素とか、どういう設定、世界にするかを考えればいい。

秘密ゆえに『ローマの休日』

キャラクターの造型の際に、どういう「**障害**」「**カセ**」を据えるか？　さらに展開をおもしろく運ぶために、「恋愛もの」3要素というのがあります。

① **すれ違い**
② **誤解**
③ **秘密**

「すれ違い」や「誤解」によって、恋は簡単に成就できませんし、そこから互いに惹かれ合い、愛し合いかけた心理に疑惑の影が生じたり、愛情が憎悪に引っくり返ったりします。

この恋愛ものに欠かせない3要素は、すなわち「**ミステリー」を成立させるための要素**でもあることがおわかりでしょう。

「ミステリー」の意味としては「謎」だったり「秘密」だというのは述べました。特に「ミステリー」とするには、物語全体を通す何らかの謎があって、探偵役になる主人公とかが、その謎を解いていく。

あるいは、人物には「秘密」があって、それが物語を引っ張る要因になり、最終的にその秘密が明らかになって終息します。

どんな物語であっても「ミステリー」要素があるべきだし、それがあることでおもしろく運びます。

例えば『**ローマの休日**』ならば、ローマの街に出たアンは、じつは王女であるという身分を隠しています。そのことを知ったブラッドリーも、自分が新聞記者で特ダネを狙っている、ということを秘密にしてアンと行動を共にします。

アンとブラッドリーの日常を経て、二人の〝出会い〟から物語が始まり、二人のローマでのデート（進行）を経て、隠している秘密ゆえに、カセや障害が生まれ、いくつかの事件を経て二人は恋に落ちてしまう。

互いに隠している秘密があるゆえに葛藤します。これがゆえにドラマが生まれ、感動が導かれるのです。

エピローグは秘密が明らかになる場面があって、切ないけれど余韻が残る〝別れ〟で終わります。

「恋愛もの」の構造、要素のうちで、「すれ違い」や「誤解」があることでサスペンス状態を作ることができますね。ただ出会った二人が恋をして、そのまま結ばれてよかったね、ではつまらない。

会おうとしたらジャマやハプニングがあって、すれ違いが生じることで、展開が変わる。さあどうなる？ となります。

さらに例えば、片方には婚約者（別の恋人）がいた？ そうした誤解や疑惑が生じることで、関係性が悪化する。

こうしたおもしろく展開するための要素こそが、人物が抱えていて隠されている「秘密」です。

その「秘密」が殺人など犯罪に関わることであったり、明かせない出生の秘密、境遇だったりする。その重さが物語のメインとなれば、「ラブサスペンス」もしくは「ラブミステリー」になるわけです。

ハードボイルドもスパイスは恋

さて、この「ラブサスペンス」ですが、通常版（という言い方も言及すると面倒ですが）として、男が主人公で謎の女とかと知り合って、翻弄されてというパターンが多く、その逆ももちろんあります。

つまり、レッスン12で触れたいわゆる「悪女（ファムファタール）もの」は、大抵主人公の男が、遭遇した女が謎めいた美女で、その女を好きになってしまう。どんどん虜になってしまって、秘密を隠している女にのめり込むことで、殺人事件に巻き込まれたり、自分の身を危うくしてしまう物語です。

前項で挙げた映画以外だと、**チャンドラー**原作の**『さらば愛しき女よ』**は、探偵のフィリップ・マーロウが刑務所から出所した男から、恋人探しの依頼を受けたことから、連続殺人事件に巻き込まれる。

その女ヴィルマの行方や正体は？　という謎で物語が展開します。マーロウ自身が女の虜になって、ということではないのですが、男たちが悪女に翻弄されるという構造は、まさにファムファタールであり、「ラブサスペンス」になっています。

映画化作品としては、１９７５年製作の**ディック・リチャーズ**監督版で、ロバート・ミッチャムが疲れたフィリップ・マーロウを演じて、悪女のヒロインはシャーロット・ランプリング。１９４０年代のロスのけだるい空気を醸し出していてハードボイルドとしても秀作でした。

謎の女の謎は何か？

オリジナルですが、似た空気感を醸し出していたのが、（こちらが先の74年製作ですが）**ロマン・ポランスキー**監督作の**『チャイナタウン』**。

舞台は１９３７年のロサンゼルス。ジャック・ニコルソン扮する私立探偵のギテスが、浮気調査を始めたことから、殺人事件に遭遇し、新たな依頼者となった人妻（フェイ・ダナウェイ）に惹かれていく。水の利権にからむ黒幕や、人妻の秘密が明らかになり悲劇的な結末を迎える。

アカデミー脚本賞を受賞した**ロバート・タウン**の脚本が練り込まれていて、未だにアメリカの映画学校ではテキストにされているとか。

『ゴーンガール』以外で、比較的新しい「ラブサスペンス」の秀作を挙げると、２０１３年**ジュゼッペ・トルナトーレ**監督・脚本の『**鑑定士と顔のない依頼人**』。

女性不信で恋愛経験は薄いが、天才的な鑑定能力を持つオークショニアのヴァージル（ジェフリー・ラッシュ）は、姿を見せない資産家の女性クレア（シルビア・フークス）から美術品の鑑定を依頼される。

このクレアという秘密めいた女性に、ヴァージルは次第に惹かれていき、綿密に組み立てられた罠へと落ちていく。そのプロセスも、対人恐怖症というクレアが、顔を見せないという逆のアプローチ法でした。じつはレッスン11で述べた「**コンゲーム**」**の構造**も持っているのですが、何より美術品の鑑定という世界の着目が見事でした。

悪女ものの女王アルレー

こうした悪女に翻弄される男の物語と反対に、ヒロインが悪い男にたぶらかされたり、騙されたりする逆バージョンもそれなりにあります。

こちらの場合は「ラブサスペンス」であると同時に「**ロマンチックサスペンス**」と称されることも。甘美さが欠かせない味つけになるのですが、ファムファタールが魅力的な美女であるように、ヒロインを虜にする男は、いわゆるイケメンということになっています。

この手の旗手作家としてまず名前があがるのは、**カトリーヌ・アルレー**でしょうか。「悪女もの」でも必ず登場する女流の大御所。

まず代表作は１９５６年に書かれた『**わらの女**』で、とても「ロマンチック」とはほど遠い苦い味わいですが。

この主人公のヒルデガルデは、戦争ですべてを失ったことから、大金持ちとの結婚を夢見て、そのためにはどんな手段もいとわない。悪女といえばそうなのだけど、欲望を極めようとして終盤はひたすら窮地に落とされます。２０１９年に新訳版も出されましたので、この魅力的なヒロインの悪と、衝撃的な結末に浸って下さい。

ちなみに64年に製作された映画版は、セクシーで蠱惑的なヒルデガルデをジーマ・ロロブリジータが、彼女をそそのかし大叔父の財産を奪おうと画策する色男をショーン・コネリーが演じていました。

アルレー原作では、ヒルデガルデよりも悪に徹する魅力的なヒロインは60年の**『目には目を』**。美しくセクシーな人妻アガットは、工場主の夫が没落するや、金持ちの男を誘惑して、夫を殺害するや乗り換える。ところが新たに強敵が現れる。金持ち男の姉で、ここから2人の女同士のすさまじい戦いが始まる。

登場人物はこの4人だけ。それにしてもアガットの天性の悪女ぶりと、その悪ぶりが爽快感さえ与えるおもしろさ。

ヒロインの相手はイケメン

アルレー女史の紹介でロマンチック路線から外れてしまったのですが、悪い男に翻弄されるヒロインの物語という構造としては、例えば1985年製作、**リチャード・マーカンド**監督**『白と黒のナイフ』**があります。

レッスン8の「裁判もの」でもあるのですが、犯罪の造りが**ロマンチックミステリー**。妻が何者かに殺害され、莫大な遺産を相続することになった夫ジャック（ジェフ・ブリッジス）は、容疑者として逮捕されてしまう。

彼を弁護することになったのがグレン・クローズ扮するテディ弁護士。テディはジャックを弁護するうちに、彼の無罪を信じるだけでなく、次第に惹かれていく。

この映画のおもしろさは、テディの敵となる検事が因縁あるかつての上司ということ。いわば三角関係性を裁判劇に持ち込むことで、葛藤や対立を際立たせています。こうした人間関係の中で、テディは弁護士としての職務を逸脱して、ジャックと関係を持ってしまう。果たしてジャックは無罪なのか？

紆余曲折を経て、テディたちはついに無罪を勝ち取るのですが、意外なもうひとつの結末が待ち受けていて……。

セックスは欠かせないスパイス

こうした構図は結構女心を刺激するらしく、時折まさに女性ファンを中心ターゲットとしたヒット作が生まれます。

日本のバブル期と重なるのですが、１９８６年にブームを起こしたのが**『ナインハーフ』**。監督は女性の自立をイキイキと描いた『フラッシュダンス』の**エイドリアン・ライン**。

ちなみにライン監督はこの後で、より狂気、異常性を極めた**『危険な関係』**を作ります。

『ナインハーフ』ですが、犯罪がからむわけではないので、ミステリーとはいえないかもしれませんが、展開のさせ方がまさにラブサスペンスです。

アートギャラリーで働くエリザベス（キム・ベイシンガー）が、知り合った謎めいた証券マンのジョン（ミッキー・ローク）とのエロチックな関係にのめり込んでいく。

（当時はですが）甘いマスクの代表のようなミッキー・ロークに、というのがミソで、関係性として強調されるのがズバリ、倒錯的なセックス。

男が強要するさまざまな性の嗜好に、女はとまどいながらも浸ってしまう。こうした妖しい関係がミステリアスに展開していく。

同じ年に、この魅惑さ、美魔女さが最大の魅力のキム・ベイシンガーと、やはり甘いマスクが売りのリチャード・ギアが組んだラブサスペンスが**『ノー・マーシィ／非情の愛』**。これも86年製作ですので、異常にこの手の作品が出た年だったようです。

相棒を殺されたシカゴの刑事エディ（ギア）が、ニューオリンズに犯人を追って来る。事件の鍵を握る謎の女で、組織のボスの情婦ミシェル（ベイシンガー）を拘束し、手錠で自らを繋ぐが、組織に追われ泥沼を逃れるはめになる。繋がれたままの二人はやがて愛し合うようになり……。

ミシェルは悪女ではなく、不幸な生い立ちを秘めている美女というキャラ設定です。ともあれ、いい男と美女という組み合わせが鉄板です。

『ナインハーフ』の図式を受け継いで、近年大ヒットしたのは**『フィフティ・シェイズ・オブ・グレイ』**でしょうか。

主婦が書いたベストセラー

もともとはイギリスの主婦**E・M・ジェイムズ**が書いた小説で、**「マミーポルノ」**と称されて話題となりました。〝30～40代の子どものいる女性層に受けたポルノ（官能）〟小説という意味。原作はまずは電子書籍として売り出され、火が付いて世界的大ベストセラーになったというのも今ならでは。

男性経験のほとんどない女子大生のアンが出会ったのは、27歳で大企業を率いるグレイ。夢のようなイケメンで超がつく金持ち男に、アンは惹かれていき、次第に翻弄されていく。

けっしてラブサスペンスではないのですが、グレイには「秘密」があって、特別な性的嗜好の持ち主。彼を愛するようになったアンは、めくるめく官能の愛に目覚めていく……。

このいかにもな設定や展開に笑ってしまいますが、あり得ないような夢物語（もちろんそれをリアリティとして描けるか、ですが）ゆえに受ける。この単純さと、きわどい性愛がヒットの要因でしょうか。当然、映画化権の争奪戦も演じられました。

2015年に**サム・テイラー＝ジョンソン**監督で、ほぼまったくの新人ダコタ・ジョンソン（ただしドン・ジョンソンとメラニー・グリフィスの娘）と、ジェイミー・ドーナンを抜擢、映画の出来うんぬんを別にして話題性で大ヒットしました。原作は三部作で、映画もしっかりと二人の恋やその後を官能性を売りとして作られました。

本作はまさに「マミーポルノ」ですが、主人公アナやグレイの恋の紆余曲折を運ぶための「秘密」であったり、彼らを脅かすライバルたちの存在、手法は復讐であったり、ストーキングというように、サスペンス性が発揮されています。やはり「ラブサスペンス」であって、この要素こそが「恋愛もの」をおもしろくするうえで欠かせないわけです。

LESSON 15

テイストの違いで「ユーモアミステリー」になる

殺人をユーモアで描く

これまで考察してきた「サスペンス」や「悪漢もの」「ファムファタール（悪女もの）」「サイコサスペンス」さらには、「ハードボイルド」といった「ミステリー」のメインジャンルに共通した要素があります。何でしょう?

それは「テイスト」もしくは「カラー」なり「タッチ」が、いわば**「シリアス」「ダーク」**だということです。

「ミステリー」の多くがこっち側だと思います。けれども、この反対のテイストなりカラーの小説、映画があります。いわゆる**「ユーモアミステリー」**とか**「コージーミステリー」**といったジャンルです。

もちろん、「ホラー」も単に怖がらせるだけじゃなく、つい「笑い」を誘ってしまうテイストなりつくりにすることもあります。「恐怖」と「笑い」は紙一重で、あまりに怖いと人間は笑ってしまったりしますし、笑わせた後で怖さがくると効果は倍加します。

ともあれ、例えば「殺人事件」はそれ自体が悲惨（ダーク）です。通常はその動機であったり、経緯とかもシリアスになる。

ですが、それをフィクションとして構築する場合に限り、テイストとして明るく、読者、観客を笑わせながら楽しませるというアプローチもありで、その世界観が面白さを際立たせたりします。そうしたタッチとするメリットやコツなどを考えてみます。

ギリシャ演劇の悲劇と喜劇

「ミステリー」に言及する前に、フィクションについてこのテイストの違いを簡単に。

そもそも「演劇」の歴史には、いわゆる**「悲劇」**と**「喜劇」**という分け方がありました。

その元祖的な意味合いとして、古代ギリシャのアテナでは円形劇場で劇が開催されたのですが、「喜劇」と「悲劇」に分けられるようになった。

主にその時代は、悲劇は歴史上の人物や高貴な人物を登場させることが多いのに対して、喜劇は同時代の庶民が描かれ、滑稽さや笑い、風刺で観客の笑いを誘ったということ。

この流れが継承されて、簡単に定義づけすると〝喜劇は結婚など主人公の幸せで終わり、悲劇は主人公の死で終わる〟という色分けがされるようになりました。

例えば16～17世紀には、イギリスでシェークスピアが悲劇（四大悲劇といわれる**『ハムレット』『リア王』『マクベス』『リチャード三世』**など）や、喜劇（**『じゃじゃ馬ならし』『真夏の夜の夢』**など）の名作を世に送り出しました。

フランスでは劇作家のモリエールが、性格喜劇、風俗喜劇（**『ドン＝ジュアン』『人間嫌い』**など）といったジャンルを書いて人気を博し、ラシーヌは、心理劇、悲劇（**『アンドロマック』『フェードル』**など）でいわゆる古典劇を確立しました。

ただし両者は表裏一体で、はっきり分けられるものでもなく、近代以降明確な定義はないとされています。**「喜悲劇」**とか**「ブラックコメディ」**というように、テイストなりジャンルを絶妙に一致させたりする場合もあります。

有名な言葉だと、チャップリンの「人生は近づいてみれば悲劇、遠くからみれば喜劇」は、まさに真実という印象があります。

コメディにもいろいろあるよ

ともあれ、「喜劇」は映画では「コメディ」ですが、これもテイストとかで分類されます。ミステリーから離れますが、簡単に解説しておきます。

チャップリンやキートンが確立させた**「スラップスティック」**（訳すとドタバタ喜劇）であったり、上記の「ブラックコメディ」は、〝風刺や不気味さ、残酷さを含んだ喜劇〟となります。

さらには**「ソフィスティケイテッド・コメディ」**（**「ロマンチックコメディ」**とも言われますが）、都会的なおしゃれなコメディといった意味合い。エルネスト・ルビッチやビリー・ワイルダーの映画のような。

この反対のテイストが**「スクリューボール・コメディ」**で、男女の恋模様がメインですが、次から次へと事件や出来事が起きていくスタイルです。コメディに限りませんが、**「ジェットコースタードラマ」**といった名称の映画やドラマもこの類型です。

「シチュエーション・コメディ」あるいは**「シットコム」**というのは、設定なり世界を限定してそこで展開するコメディ。アメリカのテレビドラマや、三谷幸喜さんが好きなジャンルで、香取慎吾を起用した『**HR**』や、最近では配信ドラマの『**誰かが見ている**』はまさにシットコムでした。


さらに**「ラブコメディ」**（恋愛模様を明るく描く）や**「ハートフルコメディ」**（笑わせ泣かせつつ、愛や希望を見いだす喜劇）といったジャンル分けもあります。

日本では大阪を中心に磨かれた**「人情喜劇」**といった劇もあります。人と人とのふれあい、人情を描きながら笑わせる。

大阪ではありませんが、山田洋次原作・監督の『男はつらいよ』シリーズも、寅さんらが繰り広げる笑いがあって、ほろりと泣かせる展開が必ずあって、まさに日本型の「人情喜劇」と言えるでしょう。

悲劇がもたらすカタルシス

これに対して「悲劇」は、英語にすると〝tragedy〟ですが、この用語はコメディほど浸透していません。さらに上記の「喜劇」のような細かいテイストの違いで分けられていたりしません。

というよりも通常「悲劇」というと、〝主人公が運命や社会の圧力、人間関係などによって困難な状況や立場に追い込まれ、不幸な結末に至る劇（デジタル大辞林）〟で、いわばアンハッピーエンド、バッドエンドの作品。

レッスン12であげた悪漢もの、悪女もの、特にイヤミスと称されるミステリーは、悪の主人公が破滅したり死んだりすることで、バッドエンドで終わることが多い。

悪人や悪女でなく、善良な主人公であっても、運命に翻弄されたり、思いを達成できないで悲劇的に終わる物語もあります。

ただこうした終わり方をすることで、逆に読者や観客はカタルシスを得たりします。芝居の歴史で「喜劇」と「悲劇」の二つのジャンルがあったと述べましたが、観客は、笑ってハッピーエンドで満足して劇場を後にしたい時は「喜劇」を選び、人物たちの悲しい運命に涙を流したい気分の時には、「悲劇」をやってる劇場に行ったといわれています。

ついでに「**カタルシス**」について述べておくと、意味としては「精神の浄化作用」です。

そもそもは演劇学用語で、それもギリシャの哲学者アリストテレスが『詩学』で述べた「悲劇論」で、〝悲劇が観客の心に怖れと憐れみを呼び起こし感情を浄化する効果〟として「カタルシス」と称しました。

これが転じて精神療法とかにも使われて、「心のあるわだかまりを解消する」効果として使われたということ。

演劇から派生してフィクションの効果としても使われるようになって、観客や読者に〝カタルシスを与える〟ことで、精神を浄化させる。悲劇的な物語に涙を流したり、悲劇ばかりでなくコメディで大笑いすることで、鬱積していた思い、ストレスを解消することができる。

人間が本を読んだり、芝居や映画を観たりして、物語（フィクション）に親しむのは、そうした精神の解放、休息といった意味もあるわけです。

逆の言い方をすると、カタルシスが得られないと不満が増してしまう。つまり〝不完全燃焼〟を生じさせてしまう。

物語の作者は作品を世に出すことで、それを受ける側にカタルシスを与えられるかが勝負でもあるわけです。

ヘップバーン映画のあれこれ

「喜劇」と「悲劇」に関わる解説が長くなってしまいましたが、ミステリーに限らず、作品を書く時に**シリアスタッチ**で描くのか、**コメディテイスト**とするかで大きく違ってきます。当然、その書き手の向き不向き、資質というのもあるでしょう。

『シャレード』ケーリー・グラントとオードリー・ヘプバーン、1963年
出典：ウィキメディア・コモンズ

例えば、恋愛ものにしてもシリアスだと通常「**メロドラマ**」になりますし、コメディだと「**ラブコメ**」とジャンル分けされるように。

例えばオードリー・ヘップバーン主演映画で見てみると、『**麗しのサブリナ**』や『**昼下がりの情事**』は（まさにビリー・ワイルダー監督ですが）、ソフィスティケイテッドコメディの恋愛もの。『**ティファニーで朝食を**』はコメディではないでしょうが、味わいとしてはこっちでしょう。映画は恋が成就するハッピーエンドでした。

『**いつも二人で**』はメロドラマ、『**ローマの休日**』はけっしてシリアスタッチではないのですが、やはり悲恋ということではメロドラマでしょうか。

ミステリーですと、『**おしゃれ泥棒**』はラブコメテイストのミステリー。『**シャレード**』も次々と殺人事件が起きるのですが、テイストとしてはライトな恋愛の味つけによるミステリーでしょう。

『**暗くなるまで待って**』となると、完全にシリアスなサスペンスもしくはスリラーミステリーです。

オードリーヘップバーンという女優の持ち味は、コケティッシュ、可愛らしさが最大の魅力でした。『ローマの休日』が名作なのは、人物設定や展開の妙だけでなく、彼女の明るさやキュートさゆえに、描かれた恋がせつなさを増していたともいえるでしょう。

ともあれ、そのフィクションをどういうテイストなりタッチとするかは、題材やテーマとも関わります。殺人事件のミステリーを書こうとして、シリアステイストと決めつけるのではなく、コメディタッチ、ユーモアテイストとすると、書きやすくなるかもしれません。その逆もあるでしょう。

コージーミステリーの3条件

さて、そのユーモアミステリーもしくはコージーミステリーのご紹介など。

ユーモアミステリーは説明不要かと思います。おかしさ、明るいタッチで人物や世界を描く。読者（観客）はクスリと笑ったり、時には大笑いしながら、主人公と事件を追いかける。

この別名の**コージーミステリー**なのですが、発祥はミステリーの王国イギリスで、でも歴史は比較的新しく、第二次大戦時だとか。その頃アメリカで主流となっていたのがハードボイルドで、それと対局のミステリーをという、いかにも皮肉好きなイギリス人らしい発想から体系づけられたそうです。

「コージー（cozy）」とは、〝居心地がよい〟とか〝密接な地域社会〟といった意味合いで、基本的なルールとしては、

① **探偵役は素人**
② **身近なところにいる容疑者**
③ **過度な暴力表現をしない**

といったこと。

そもそものコージーミステリーの元祖とされているのが、**マーサ・グライムス**（アメリカ人なのですが）で、代表作は１９８１年の**『「禍いの荷を負う男」亭の殺人』**です。数年前に復刻版の文庫が発売されています。

この変わったタイトルの「禍いの荷を負う男」亭は、実際にこういう名前のパブがイギリスには多いのだとか。以後のシリーズも「化かされた古狐」亭だったり、「鎮痛磁気ネックレス」亭、「老いぼれ腰抜け」亭というように、タイトルからしてシリアスからほど遠い。

探偵としてコンビを組むのは、一人は（素人ではないのですが）**リチャード・ジュリー**というスコットランド・ヤードの警部（後警視）で、もう一人は友人の**メルローズ・プラント**という元貴族。

互いの知性を認め合った二人が協力して事件を解いていく。二人のキャラもさることながら、脇役たちの個性も際立っていておかしい。

例えば、ジュリーの部下の**ウィキンズ**は、健康オタクで咳止めドロップだの何だかわからないサプリメントを常備していて、誰彼となく勧める。

あるいはジュリーの上司の主任警視**レイサー**は、面倒な事件となるとジュリーに押しつける。警察署に紛れ込んできた猫のシリルと飽くなき戦いを繰り返している。

爵位を返上したプラントは、執事の**レヴァン**と広大な屋敷に住んでいる。一番愉快な脇役は、叔母の**レディ・アードリー**で、貴族と称しながらやたらと事件に首を突っ込みたがる俗物根性丸出しマダム。

こうした人物たちが、奇妙な殺人事件に挑むおもしろさです。

そもそも元祖のクリスティとセイヤーズ

ところで貴族の探偵というと、マーサ・グライムスの前に**ドロシー・L・セイヤーズ**の「**ピーター・ウィムジイ卿**」**シリーズ**があります。

マーサ・グライムスはアガサ・クリスティやセイヤーズに強い影響を受けているのですが、そもそもレッスン9で素人探偵として紹介したクリスティのミス・マープルは、上記のコージーミステリーの条件をほぼ満たしていて、こちらこそが元祖といえるかもしれません。

ドロシー・L・セイヤーズについては述べていませんでしたが、クリスティと並び称される「ミステリーの女王」です。

1923年に『**誰の死体?**』で、貴族探偵の**ピーター・ウィムジイ**卿を登場させました。貴族の次男坊の坊ちゃまで、クリケットやワイン、グルメ、古本収集といった優雅な趣味の中に探偵業も。

友人の家で発見された奇妙な死体の謎の多様さに、大喜びで立ち向かう。

ピーター卿と従僕**マーヴィン・ハンター**とのやりとりが、蘊蓄やウィットに富んでいて楽しい。

このピーター卿は5作目の『**毒を食わらば**』で、殺人事件の容疑者とされた探偵小説家の**ハリエット**と出会って一目惚れ、以後拒絶されながらも、恋から結婚へとシリーズが続いていきます。

このシリーズも長らく絶版になっていたのですが、数年前に新装版で復刻されています。なるほど英国調ウィットに満ちたユーモアミステリーはこれだ、というのが味わえます。

このジャンルはじつは百花繚乱で、あげているとキリがありません。私が親しんだ作家では、(すでにこれも古典ですが)『**大はずれ殺人事件**』など**グレイグ・ライス**の**マーロン**弁護士シリーズ。

さらに**ジョイス・ポーター**が生み出した〝史上最低の探偵〟という称号の**ウィルフレッド・ドーヴァー主任警部シリーズ**。なにしろ的外れな捜査をしているうちに、犯人を疑心暗鬼にさせて結果解決してしまったりする。

下品さとセリフが秀逸なフロスト

この英国式破天荒ドーヴァーのDNAを継ぎつつも、あまりの下品さで笑わせながらじつは有能ぶりを発揮するのが、**R・D・ウィングフィールド**の**フロスト警部シリーズ**です。

ユーモアミステリーとするポイントはいくつかあるのですが、一番はキャラクターです。

探偵役となる主人公を、破天荒、型破り、個性的な人物像とする。我らがフロスト警部は最高のサンプルとしてオススメします。

例えばシリーズ最終作となってしまった『**フロスト日和**』(創元推理文庫・芹澤恵訳)で、フロストが登場するプロローグのシーンを引用してみます。

ジャック・フロスト警部は自分のオフィスに引きこもり、デスクについて背中を丸め、車輌維持経費の申請書を作成しているところだった。（略）

「こりゃ、また、けっこうなお日和で」小声でぼそりとつぶやき、こんな吹き降りのなか、戸外にいなくてすむわが身の幸運を言祝いだ。土砂降りの雨にもいい面がある。こんな日は、まっとうな悪党はまず、己のねぐらを離れない。

フロストはデスクに戻って申請書の作成を再開させた。ボールペンを握り、慎重な手つきで領収書の〝6〟という数字を〝8〟に書き換えた。

ところが、そんな嵐の夜に、散歩の飼い犬が人間の片足をくわえてきた、というとんでもない通報で、やむなく〝小便バケツをひっくり返したような降り〟の中を捜査に出ていくはめになる。

しばらくして濡れ鼠になって帰還したフロストは、ビニール袋に入れた片足を、留守番のウェルズ巡査部長に示すなり、

「片足落としたやつが遺失物届を出しにきたら、届いていると言ってやれ」

このセリフに爆笑。さらに「これをどうしろってんだよ？」と文句をつける巡査部長に、

「中火で十五分ほど焼いてみちゃどうだ？　でなけりゃ、今夜のとこはとりあえず冷蔵庫にぶち込んでおいて、朝になって誰も食べてないようだったら科研に送るとか？」

人間くささが笑いを誘う

フロストはずっとこんな調子で、毎回自分が所属するデントン署で、いくつもの事件がごった煮的に起きて、ぼやきながらも最終的に解決してしまいます。

ハードボイルドの主人公はニヒルだったり、ストイックだったりするのに、ユーモアミステリーの主人公は、正反対の**人間らしさ**、**人間くささ**、**欠点**を備えているけど憎めないといったキャラクターとなっています。

またコージーミステリーで紹介したマーサ・グライムスの二人目の主人公メルローズ・プラントは、元貴

族でいかにも生まれながらに備えている高貴さが魅力となっているケースも**キャラクターの際立たせ方**です。**一般読者がめったに会わない境遇の人物**というのも、憧れ性という点で魅力となることもあります。

ともあれ、他にはレッスン11のケイパーものでご紹介した**ドナルド・E・ウエストレイク**もユーモアミステリーの旗手です。

『ホットロック』で登場した**ドートマンダーシリーズ**の主人公ジョン・ドートマンダーは、刑事とかとは反対側の泥棒です。天才的な頭脳を駆使して毎回犯罪計画を立てるのですが、いつもとんでもない不運やトラブルで、右往左往してしまう。

ドートマンダーの相棒の陽気な**アンディ・ケンプ**をはじめ、鉄道マニアの**ロジャー・チェフイッチ**、機械大好きな**スタン・マーチ**、女ったらしの**アラン・グリーンウッド**など、チームとなる仲間たちも一癖ある連中ばかり。この**脇キャラも**、**個性豊かにさせて主人公とからませる**というのも重要なポイントのひとつです。

もう一人私のお気に入りだったのは、**リリアン・J・ブラウン**の「**シャム猫ココシリーズ**」。新聞記者の**ジェイムス・クィララン**が飼っているシャム猫のココと、後から加わるヤムヤムの二匹が繰り広げるミステリー。

ココは人の死を感じると鳴く。ココがたまたまタイプライターの文字を打ったり、本棚から落とした本からなどが、事件解決のヒントになる。

1作目の**『猫は殺しをかぎつける』**や、**『猫は手がかりを読む』『猫はスイッチを入れる』**といったタイトルで、じつに長編は29作まで続くシリーズで、猫好きを中心にファンに親しまれました。

髭で大男のクィラランがココとヤムヤムに翻弄されながらも、事件を解決していきます。特に猫派の支持を集めたのは、猫が持っている不思議な魅力や能力が「あるある」と頷いてしまうから。

こうした**協調**、**共感性**といった味わいで運ぶのも、コメディタッチを醸し出すポイントになるわけです。

日本版コージーミステリーの元祖

海外のユーモアミステリーはこのくらいにして、日本に眼を向けると、これもまた百火繚乱です。ネットで「ユーモアミステリー」や「コージーミステリー」と入れるだけで、ずらずらとベストセラーからマニアックな小説まで出てきます。

なかでも、いわゆる**ラノベ**こと**ライトノベル**は、タッチとしてはこちら側が圧倒的に多いでしょう。

齋藤美奈子編・著の、女性作家によって書かれ、メインの読者も女性という新しい文学の潮流について書かれた評論『L文学完全読本』があります。

そのL文学の流れに寄与した女性読者たちは、80年代に「コバルト文庫」によって、少女小説というジャンル、特に氷室冴子や赤川次郎といった作家に親しんだと書かれています。

さらに、日常的なディテールを活かしたミステリー小説として、**赤川次郎**の『**三毛猫ホームズ**』**シリーズ**が挙げられていて、「コージーミステリーの先駆者赤川次郎は、コバルト文庫作品も多く、意外にもL文学と近しい作家である」とあって、なるほどと膝を叩きました。

たしかにベストセラー作家の赤川次郎さんの数々のミステリーは、コージーミステリーの条件を踏まえていました。

ここで挙がっている（シャム猫ココを彷彿とさせますが）、1978年の『**三毛猫ホームズの推理**』からスタートした「三毛猫ホームズシリーズ」。警視庁捜査一課の刑事**片山義太郎**（血が苦手で女性恐怖症）と、妹の**晴美**が飼うことになった猫のホームズが、事件現場などで奇妙な行動をとることから、解決に導かれていく。

タッチが重くなく、登場人物たちの個性や、三毛猫ホームズの醸し出す魅力で、人気シリーズとなり短編も含めると50作以上もあるとか。テレビドラマにもなって赤川さんの代表作になりました。

他にも、「**三姉妹探偵団シリーズ**」や「**幽霊シリーズ**」などなどを挙げるまでもなく、殺人事件を扱いながらも、ユーモラスで気軽に楽しめる赤川ワールドは多くの読者を獲得しました。

この赤川タッチがL文学のみならず、（松本清張や大藪春彦といった路線とは対照的な）日本のミステリーのもうひとつの流れを作ったといえます。

今や一大潮流のユーモアミステリー

例えば、「三毛猫ホームズ」に対抗して書かれた**辻真先**の『**迷犬ルパン**』**シリーズ**。チャウチャウと柴犬の合いの子ルパンが迷（名）探偵犬ぶりを発揮しながら、飼い主の**朝日正義**刑事に手がかりを与えていく。

こうしたシャム猫ココや三毛猫ホームズ、迷犬ルパンといった**動物をパートナーと設定する**と、親しみを与えつつ、あり得ない世界であってもおもしろく描くことができます。こうしたファンタジー要素も、ユーモアミステリーとすることで成立させられるわけです。

こうしたわずかなファンタジー要素であったり、その**主人公だけが持っている特殊能力や専門性**を全面に出すことも武器になります。

最近だとまず浮かぶのは、**三上廷**『**ビブリオ古書堂の事件手帖～栞子さんと奇妙な客人たち**』。主人公の探偵役は、鎌倉の古書店々主の栞子さん。本が読めない体質の**大輔**君とコンビで、彼女が持っている膨大な古書にまつわる知識で、本にまつわる謎が解かれていきます。

あるいは**岡崎琢馬**『**珈琲店タレーランの事件簿**』。主人公の**アオヤマ**と、**切間美星**バリスタによる日常ミステリー。京都のコーヒー店が舞台、古都ならではだったり、まさにコーヒーに関わるうんちくが楽しい。

こうした特殊能力であったり、どこかの具体的な土地柄、職業性、専門店などで働いている主人公たちが日常ささやかな事件、揉め事、客の悩み（つまり殺人事件とかはめったにない）を、専門性を活かしながら解いていく。このパターンが、日本のラノベやコージーミステリーの大きな流れとなって現在に至っています。

いくつか挙げると、**松岡圭祐**『**万能鑑定士Qの事件簿**』、**天野頌子**『**よろず占い処　陰陽屋へようこそ**』、**大沼紀子**『**真夜中のパン屋さん**』、**大山淳子**『**猫弁と星の王子**』、**関口暁人**『**ドール先輩の修復カルテ**』というように（ちなみに、後ろのお三方、大山淳子さん、大沼紀子さん、関口暁人さんは私の教え子なのです！）。

青春&学園ミステリーの輝き

さて、このユーモアミステリー、コージーミステリーの流れとして捉えられるジャンルがありますので、簡単に補講しておきます。

「青春ミステリー」「学園（放課後）ミステリー」ですね。ユーモアミステリーがラノベことライトノベルの潮流になっていると述べましたが、その大きな幹となっている、あるいはジャンルとして重なっているのが「青春&学園ミステリー」と言っていいでしょう。

もちろん、「青春&学園ミステリー」がすべて明るい、ユーモアテイストとは限りませんし、苦い青春だったり、凄惨な事件が起きたりする作品もあるのですが、多くは軽やかなタッチだったりします。

誰でも青春期は、悩んだり苦しんだり、逆にひどく眩しかったり、きらめいていたりと、暗と明とが交錯するものです。そして、大人になって思い出す時に、どちらの時間も、もう取り返しがつかないことに気づくことで、より輝きを増すものだったりします。

先にポイントを述べてしまいますが、青春ものは（ミステリーに限らず）、主人公たちが青春期の年齢であればいい、あるいは学園ものは、舞台が中学や高校であれば成立するということは条件のひとつに過ぎなくて、こうした**〝青春の輝き（きらめき）〟〝この時期だけの一瞬〟といったものが描けるか**、が作品の評価を決めると思います。

それがたとえ苦かったり、暗かったとしても、青春の本質は輝きを伴っていたりする。ゆえにユーモアテイストが似合うのでしょう。

小説でも例えば、青春をテーマとして据えた名作だと**夏目漱石**の『**三四郎**』や『**坊っちゃん**』がそうですし、さまざまな作家によって書かれてきました。

ただ、推理小説として「青春ミステリー」の嚆矢とされるのは、1973年に乱歩賞を受賞した**小峰元**『**アルキメデスは手を汚さない**』で、女子校生の謎の死から始まるミステリーでした。以後小峰さんは、青春ミステリー小説を発表し続けて、以後のブームをつくりました。

コージーミステリーの先駆者としてご紹介した赤川次郎も参入して、若者たちによる学園や青春ミステリーを発表して、読者を摑んでいきました。

これらの「青春&学園ミステリー」は、コバルト文庫を代表とするいわゆる**ジュニア小説**、**ジュブナイル小説**としてくくられ、主な読者層をティーンに据えたことから、現在のラノベの源流になりました。

出版不況が叫ばれて久しいのですが、「青春&学園ミステリー」を包含したライトノベルは勢いを失っていません。

入りやすさイコール書きやすさではない

こうしたライトな味わいのミステリーが、たくさんの読者に受け入れられていて、新しい作家も次々と登場しています。一方ではイヤミスのダークさにどっぷりはまりたいという読者もいますが、圧倒的多数はこちら側の楽しく気軽に読めるユーモアミステリー、さらにはまだ活気を保っている青春&学園ミステリーでしょう。

手軽さということで、多くの読者が獲得できるというのは確かですし、書き手としても入りやすいのかもしれません。

述べたポイントをおさえて望むということでいいのですが、ライトに展開しつつ、それなりの蘊蓄であったり、専門性を発揮するのはけっして簡単ではありません。

難しいことを、わかりやすくおもしろく書くための書き手の技量が要求されますし、ミステリーとしてのつくりというのも備えていなくてはいけません。それなりに先達の小説を研究したうえでチャレンジして下さい。

特にライトノベルの世界は参入者が多いだけに、カラーやタッチを模倣したものだけでは突出しません。なによりその書き手だけがつくれる世界、オリジナリティを発揮できるかだったりします。

LESSON 16 専門ミステリーを書くための心得と取材の方法

専門は大きな武器となる

コメディテイストで描くか、ダークカラーで通すか？ といったタッチの問題は作者の資質や好みで選択するとして、ミステリーとしてある**特殊な専門や世界に着目**して描く場合もあります。

こうした特殊な専門性に特化した作品を書くためのアプローチ法について。

これができると、明らかにオリジナル作品に近づきますし、その書き手ならではの専門分野となって認知され、シリーズ化もできます。

レッスン15で例とした『**ビブリオ古書堂の事件手帖**』は、まさに古本にまつわるミステリーですが、作者の**三上延**さんが古書店で働いていたという経験が活かされていて、本にまつわるミステリーとしてオリジナルな世界になりました。

あるいは、より職業性が活かされたミステリーとしては、例えば**海堂尊**のデビュー作でベストセラーになり映画化、ドラマ化もされた『**チーム・バチスタの栄光**』。いわゆる**医療（メディカル）ミステリー**で、海堂さんは現役の外科医でした。心臓のバチスタ手術の死亡事故を巡って、血を見るのが嫌いな神経内科医の**田口公平**（通称〝愚痴外来〟）と、厚生労働省役人の通称〝ロジカル・モンスター〟こと**白鳥圭輔**の二人が謎を解いていく。

なんといってもリアルな医療現場や専門知識などが盤石で、かつそうした難しい専門性も、けっして難しくて入っていけないというのではなく、医学と無縁な読者でもわかるように書かれています。

医者や記者が前身の作家たち

こうした専門世界を描くには、このわかりやすさと一般人が知らない専門性が欠かせないポイントになります。

まず専門としての、しっかりとした知識や裏付けがなされていなくてはいけません。三上延さんは古本屋さんで働いていたという経験から、本にまつわる商売の方法も知っていました。海堂尊さんはいわずもがな。お医者さんで作家という書き手はたくさんいて、古くは文豪の**森鷗外**や**北杜夫**など、**渡辺淳一**もデビュー作は心臓移植を題材とした『**白い宴**』でした。

久坂部羊さんも医者作家で、「医者は、三人殺して初めて、一人前になる」という惹句で有名になった『**破裂**』も医学ミステリーでした。

そういえば、**手塚治虫**も元々お医者さんでした。『**ブラック・ジャック**』はお手のもののキャラクターだったかもしれません。

医者以外だと、やはり書くことが習性ゆえか、記者だった作家も多い。故人では、**井上靖**、**司馬遼太郎**、**山崎豊子**、**佐野洋**、**三好徹**といったそうそうたる作家。

現役だと**横山秀夫**さんは、上毛新聞社の記者を12年間務めていました。松本清張賞をとってデビュー作となった『**陰の季節**』は、主人公が記者ではなく、警察官ですが、横山さんの記者時代の経験が活かされています。

代表作のひとつ『**クライマーズ・ハイ**』も、記者時代に体験した日航機墜落事件が題材になっていました。映画化されてさらに話題となった『**罪の声**』の作者**塩田武士**さんは、神戸新聞の記者でした。「グリコ・森永事件」を題材とした本作はまさに記者時代の経験がリアリティとなっていました。

そもそも塩田さんのデビュー作は、将棋担当記者だった経験から棋士の世界を描いた『**盤上のアルファ**』でした。

「宝の山」をわかりやすく

作家の前身と作品の関連を調べるとおもしろいかも

しれません。ともあれ、その作家が、作家として一本立ちする前の経験は多かれ少なかれあるはずです。

専門性に戻すと、まず自分が知っている世界を描くことで、調べる手間は省けますし、一般の人が知らないことも書き込むことができます。

専門性は、ミステリーに限らず小説を書くうえで、大きな武器になるわけです。ただし、ここがネックにもなるのですが、その人にとっての当たり前の**専門性は、読み手にとっては理解できないことが多い**。

つまり、前記の海堂尊さんの『チームバチスタ』が、医療の世界を知らない人でもおもしろく読めるように書かれているという点が重要になります。

いくら興味深い専門性を熟知していても、それを小説とするために、かみ砕いて表現できるか？　小説とするための文章表現だけでなく、読者を引っ張るエンタメ性も必要となります。

特殊な世界を知っている専門家は、かけがえのない題材、素材を有していて、それはまさに宝の山ですが、そういう人が皆作家になるとは限りません。前記の作家としての技術、資質のありなしで決まるわけです。

ともあれ、「私は〝宝の山〟を持っている」と思う作家志望ならば、断然有利です。それを活かして、誰が読んでもおもしろく運べる技術が駆使できると、売れ筋のシリーズ化も夢ではありません。

宮部みゆきの作家のなり方

これに対して、専門性なんてそもそも何もない、宝の山なんてカケラも有していない、という作家志望者のほうが圧倒的に多いかもしれません。ごく普通の（って何だ？　というのは置いておいて）サラリーマンだったとか、主婦経験しかないという人です。

実際にプロとして活躍している作家の多くもこちらかと思います。例えば、超売れっ子作家の**宮部みゆき**さん。

宮部さんはサラリーマンの家に生まれ、東京下町育ち。高校卒業後に速記の資格を得るための勉強をしながら、ＯＬを経て、法律事務所にタイピストとして勤務されていました。

この頃にワープロが普及するようになって、その練習を兼ねて23歳頃から小説を書くようになって、小説教室とかにも通って腕を磨いたそうです。

そしてオール讀物推理小説新人賞の候補を経て、1987年（27歳の時）に同賞を**『我らが隣人の犯罪』**で受賞、その後に長編の依頼をもらったことから、時間的拘束の多い法律事務所を退職し、しばらくは東京ガスの集金人をしながら執筆という生活で、長編デビューをきっかけに作家専業となった。

以後のさまざまなジャンル、ミステリーだけでなく、SFファンタジーや時代小説などなどの作品を出し続け、そのどれもがベストセラーとなって今に至るのはご存じの通り。

法律事務所の仕事を通して数々の法例に触れたり、集金人の仕事でさまざまな人の生活を垣間見たりといった経験が、多少なりとも創作に反映されているかもしれませんが、しかしこの分野の専門家ではありません。

ではなぜ宮部さんは、あんなに多彩な世界を描くことができるのか？

才能があるから、と言ってしまうと話が終わってしまうのですが、持って生まれて備えていた書く才能、物語を構築する才能と、それを養う環境や体験があったからでしょう。

落語や講談、怪談、時代劇好きの父や母の影響で、映画に親しみ読書好き、大河ドラマを家族で楽しみ、歴史の勉強をした。なによりも子どもの頃から読書の経験が彼女の素養となっていたはずです。宮部さんに限りませんが、多くの売れっ子作家さんには膨大な読書量があって、それが素養、引き出しとなっています。

ついでに私の専門性は？

宮部さんとは比較にならず、まったく売れっ子からはほど遠い私自身について少しだけ。専門性ということと関わりますので。

何しろ私もオール讀物推理小説新人賞（ちなみに今は、オール讀物新人賞として統合され、さらに2021年より「歴史時代小説」分野限定にリニューアルされました）の受賞者です。宮部さんから8年後の受賞でした。

その頃のメインの私の仕事はフリーライターで、総合誌、情報誌、科学誌、映画誌、受験誌、広告コピーなどなど、あらゆる記事の原稿を書いていました。

書くという業種ゆえに、小説に移行できやすかったのだろう、と思われるかもしれません。確かに〆切とか、文章を書くという行為に対しての抵抗感はなかったかもしれません。

ですが、雑誌とかに原稿を書くフリーライターという仕事は、喩えるならば、用水路の水を汲んで、一旦バスタブに溜めて沸かして、すぐに流して、次の日にまた新しく溜めて……という感じで、専門的知識なんてまるで残りません。

そういえば、**村上春樹**の『**ダンス・ダンス・ダンス**』の主人公が同じような仕事をしていて、こう言わせています。

〝「穴を埋める為の文章を提供してるだけのことです。何でもいいんです。字が書いてあればいいんです。でも誰かが書かなくてはならない。で、僕が書いてるんです。雪かきと同じです。文化的雪かき」〟

この比喩を読んだ時に、さすがに村上春樹、うまい！と思ったものです。

ただ忙しく消耗するだけの気がして、小説を書こうと一念発起しました。手始めに、たまたま書いてボツになっていた時代劇シナリオを、400枚弱の時代小説に書き直して、某小説コンクールに応募したところ、いきなり最終選考の三作に残りました。

「なんだ簡単じゃないか」と小説家になった姿を思い描いたりしましたが、そんなに甘くなかった。審査員の先生方に酷評されてあえなく落選。

それからちゃんと勉強しようと、カルチャースクールの小説講座に通い、苦節5年にして、1995年に歴史群像大賞（2020年に文庫本化された『**桃鬼城奇譚**』（双葉文庫）読んで下さい！）と、上記のオールの推理を『**二万三千日の幽霊**』で、頂戴しました。

最終審査でなぜ負けたのか？

じつは宮部さんとも似ているのですが、オールは前年に最終審査に残りました。それなりの自信作だったのですが落選。その年の受賞作は、**伊野上裕伸**さんの

『保険調査員　赤い血の流れの果て』。

この作品と私の応募作の差はどこにあったのか？　作品の完成度とか以上に、伊野上さんの小説にあったリアリティで、私の小説は劣っていると感じました。伊野上さんはまさに、損害保険会社の保険調査員をされていた。つまりその専門性に裏付けされたおもしろさ、**リアリティで大きく差をつけられていた**。

さて、翌年の再チャレンジの際に、勝負できる私だけの専門性は何だろう？　と考えたのですが、「ない」！

述べたようにフリーライターなんて、きれいな言い方だと文化的雪かきに過ぎなくて、専門性とはいえません。ただ、かろうじて勝負できるものがあるとすると、最初に書いて応募して最終に残った小説、つまり時代ものでした。

歴史好きの父親の影響もあり、私も宮部さんと同じで大河ドラマで日本史を勉強したみたいなところがあった。時代小説も司馬遼太郎から入って、**柴田錬三郎**、**池波正太郎**、**山本周五郎**、**藤沢周平**と親しんでいました。

加えて読書量に関しても、まあそれなりにこなしていました。特に国内外の名作といわれるミステリー小説はひととおり読破していました。

そこで**時代もののミステリー**ならば、現代ものが多い中で勝負できるかもしれない、と戦略を立てて書いたのが受賞作でした。

幸い最終に残ったのですが、その折に思ったのは、「どうかライバルに宮部みゆきさんがいませんように」でした。

笑わないでほしい、宮部さんの受賞作『我らが隣人の犯罪』を読んだ時の衝撃、あまりの完成度の高さ、おもしろさに驚嘆して、とても叶わないと思ったからです。

ともあれ、なんとか受賞できたのですが、「宝の山」の専門性を持たないのならば、とにかく自分なりの得意分野で勝負するしかないわけです。

専門世界を描くための「取材」

さて、本筋にもどり専門的な世界を描く際のポイントについて。

多くの作家さんは、自分の得意分野ばかり扱っているわけではありません。むろん、それなりに興味のあること、自身のアンテナが反応した題材、世界、人物を小説化していくわけですが、フィクションを構築するために、何をするかというと、徹底的に調べる。すなわち**「取材」**をすることで、自分の知らない世界であっても描くことができるようになります。

この「取材」に関しても、作家志望者の方からよく質問を受けます。多くは、「どうやって取材をすればいいのですか?」です。

これに関しては、いろいろな段階があって、それによってアプローチ法や答えが違ってきます。

まずこの手の質問をする人は、作家とかがその道の専門家と会って話を聞いたり、対象となる場所、仕事(職場)、分野(現場)とかに行って、体験したりして専門知識なりを得る姿をイメージします。別の言い方をすると、取材者が録音機やメモ帳を片手に、誰かにインタビューをしている姿のことだったりします。

もちろんこれも「取材」の一環ですし、プロ作家になると、新作のために、こうした取材をすることもありますし、出版社やテレビ局といった作品と関わるところが、作家のためにお膳立てする場合もあります。

実績のある作家ならば、取材される側も応じてくれたりするわけですが、アマチュアの場合は簡単ではないことが多く、上記の「どうやって〜」という質問となったりします。

このイメージしやすい「いわゆる取材」(とネーミングしておきます)に関しては、アマチュアであっても取材対象者にきちんと礼を尽くして依頼(お願い)をすれば応じてもらえるはずです。

「取材」の第一歩はデータ収集

それよりもこうした「いわゆる取材」は、いわば「取材」の最終段階であることが多い。その前にいくつかの段階があります。

通常、何かに関して書くために**関連資料を集めること**からスタートします。便利なインターネットは、とっかかりとして有効です。まずネット検索で関連事項を洗い出し、取捨選択して、そこからできるだけ信頼性の高い資料、本、データなどを集めます。

できれば図書館などのデータベースにあたり、関連書籍を手に入れて目を通します。ネットは便利ですし、さまざまなデータが集められますが、**くれぐれもネットだけの情報ですまさない**こと。

信憑性に欠ける場合もありますし、ネット上の情報だけでは、小説の中身も薄っぺらくなる可能性が高い。その情報、データが正確か、使って大丈夫か、といった裏付けをとるためにも、活字となっている書籍などで確認しておく。

この資料集め、確認といったことが、通常の取材の第一段階です。

ある程度の資料や関連書籍を読んでいると、自分が書こうとしている**作品の方向性が見えてきます**。これも「**構想**」の一環ですが、資料によって「**確認**」**と同時に**「**発見**」があるからです。

この段階で構想から外れるデータとかも当然出てきます。

これはけっして無駄になりません。多くの作家は、作品のための資料集めや取材によって、次に使える新たな題材、データを収集しているからです。

そこから**第二段階として**「**現地取材**」となります。

その段階では、大まかな構想なりができてきているはずですので、小説の舞台となる空間だったり、業界といったところに自らの足で赴いて、情報を集めるだけでなく、体感を得ることで小説にリアリティを与えることができるのです。

場合によっては、この「現地取材」を先にやってから、必要な資料に当たってだったり、両者を同時進行することもありますが。

そして、**第三段階が上記の専門家への直接インタビュー**などの「いわゆる取材」となります。

その具体的なアプローチ法や心得などは、脚本家志望者向けに書いた『ドラマ別冊・企画の立て方』(映人社)で詳しく書いていますので、そちらを参考にして下さい。

トラベルミステリーの道すじ

さて、具体的に専門性を活かした作品について、顕著な例をあげておきます。冒頭で述べた古本の世界の『ビブリオ古書堂の事件手帖』や、医療ミステリー『チームバチスタの栄光』だけでなく、まずひとつのジャンルとして確立していて、今も人気の高いのが「**トラベルミステリー**」（もしくは「**鉄道ミステリー**」とも）でしょう。

その第一人者として名前があがるのは、何といっても**西村京太郎**先生。**シリーズを通す十津川警部**については、レッスン6で触れました。

西村先生はさまざまな職業を経て作家になった（第2回のオール讀物推理小説新人賞がデビューのきっかけ！）。その後はいろいろなジャンルを手がけていたのですが、契機となったのは、1987年の『**寝台特急殺人事件**』。当時のブルートレインブームにも乗っかって、大人気となり、まさに鉄道ミステリーの火付け役となりました。

西村先生はもともとの鉄道ファン、旅好きだったそうです。いわば鉄オタ、鉄ちゃんの元祖でもあって、それをさまざまなトリックや展開に活かしたわけです。

鉄道ミステリーというと、時刻表トリックが欠かせませんが、それで思い出されるのは、**松本清張**を一躍人気作家と押し上げた『**点と線**』があります。書かれたのは1958年ですから、こちらが先ではあるのですが。

ともあれ、本作の東京駅の13番線から15番線のホームが見通せるという4分間に着目したトリックは斬新でした。

外にも「旅もの」ミステリーは多くの作家が手がけています。**鮎川哲也**『**黒いトランク**』、**内田康夫**『**白鳥殺人事件**』など**浅見光彦シリーズ**、**島田荘司**『**寝台特急「はやぶさ」1／60秒の壁**』、**津村秀介**『**冬の旅飛騨路の殺人**』などなどキリがありません。

山に登ると殺人が見える

ここでは特に専門性としてジャンル分けしましたが、

前に分析した「法廷」であったり、「警察」、さらには「探偵」といった職業性も、それぞれ専門には違いありません。

当然、その世界を描くにはしっかり調べて、基礎知識を踏まえたうえで書くことが必要となります。

さて、ほかにも専門色が強い、独自の世界を舞台としたミステリーをあげると、例えば**「山岳ミステリー」**。

代表作をいくつか挙げると、（ミステリーというよりも山岳小説とカテゴライズしたほうがぴったりくるが）**新田次郎『孤高の人』**、**井上靖『氷壁』**、**夢枕獏『神々の山嶺』**、**真保裕一『灰色の北壁』**、**森村誠一『雪煙』**、海外ですが**ボブ・ラングレー『北壁の死闘』**、**トレヴィニアン『アイガー・サンクション』**というように名作がたくさんあります。

付け加えておくと、「山岳ミステリー」は当然、山がメインの舞台になりますが、いわゆる「クローズドサークル」ものとして、雪山とかの山荘や山小屋に閉じ込められた人物たちが、殺人事件に巻き込まれて、という設定として使われる場合もあります。これに関してはすでに述べました。

ともあれ、「山岳ミステリー」（山岳小説）は、どこの山なのかとか、登山のノウハウ、ＴＰＯなどなどをある程度踏まえたうえでないと書けません。さらには多少なりとも登山経験があったほうがいいでしょう。

勝ち馬を〝推理する〟競馬ミステリー

海を舞台にした**「海洋ミステリー」**もあります。

クライブ・カッスラーの**『タイタニックを引き揚げろ』**などのシリーズ。**アステリア・マクリーン**の記念すべき処女作**『女王陛下のユリシーズ号』**、**ジャック・ヒギンズ『脱出航路』**、**西村京太郎**（こっちも書いている！）**『消えた乗組員』**、**高橋泰邦**（この方は海洋ものの翻訳者としても第一人者でした）**『天国は近きにあり』**、**鮎川哲也『貨物船殺人事件』**など。

こちらも船という設定から、クローズドサークルものにもなります。

ただ、海洋小説や山岳小説は日本では、あまり大きなジャンルとなっていない感があります。欧米のほうが活発かもしれません。

逆に鉄道（トラベル）ミステリーは、**クロフツ**の『**樽**』など一連のミステリーや、**クリスティー**の『**オリエント急行殺人事件**』などもあるのですが、海外では日本ほど多く扱われていません。一説には、海外の鉄道は日本ほど正確ではないので、アリバイ工作とかで使いづらいからというのですが、いかがでしょう？

こうした専門性ミステリーは、スポットを当てればいくらでもあるのでキリがありませんが、代表的なものをいくつか。

ひとつは「**競馬ミステリー**」。競馬界とか馬券、競走馬を扱ったミステリー。

イギリスではなんといっても**ディック・フランシス**。元々障害物競走の騎手で、リーディングジョッキーになったほど。引退後に競馬担当の記者になり、作家としてデビュー。

自伝的なデビュー作以外は、１９６２年の『**本命**』から、２０００年の『**勝利**』まで毎年一作ずつの競馬ミステリーを出し続けました。タイトルも『**大穴**』『**混戦**』という競馬にまつわる単語一語という徹底ぶり。

私も一時追いかけましたが、ミステリーとしてのクオリティはどの作品も高くて、競馬の世界だけでよくもまあこんなに書けるものだと感心しました。まさに専門中の専門作家の代表です。

日本ではギャンブル好きな作家さんが競馬小説を手がけていて、一時期良作が続いた時代がありました。**佐野洋**『**直線大外強襲**』（競馬の短編傑作集）、**三好徹**『**円形の賭け**』（競馬界と政界の闇が重なり合う）、**海渡英祐**『**無印の本命**』（私の小説の師匠！）、**阿部牧郎**『**菊花賞を撃て**』（こちらも短編集）など。

さらに乱歩賞を受賞した**岡嶋二人**『**焦茶色のパステル**』は関係者だけでなく競走馬の殺害事件が発生して、という競馬ミステリー。さらに横溝正史ミステリ賞を受賞した**蓮見恭子**『**女騎手**』は、タイトル通りに女性騎手が探偵役で、まさにこれからの時代でもあります。

隠し味としてのグルメミステリー

「**グルメミステリー**」も専門ミステリーの代表です。料理を扱ったミステリーで、これもひとつのジャンルを築き上げてきました。そもそも名探偵とグルメは相性がいいらしく、クリスティのポアロやミス・マープル、シムノンのメグレ警視は、小説の中でやたらとグルメぶりを発揮しています。

例えばポアロですと、短編集ですが『**クリスマスプディングの冒険**』、見事なクリスマス料理をポワロが味わいつくします。

これも古典ですが、真っ先にあがるグルメミステリーというと、**N&I・ライアンズ**『**料理長殿、ご用心**』。大富豪が集めた世界のシェフたちが、得意料理のまま殺されていく。映画化作品もブラックユーモア満載で楽しかった。

レックス・スタウトの『**料理長が多すぎる**』は、ソースの味きき競争に集まったシェフの刺殺事件が発生、美食家探偵の**ネロ・ウルフ**の捜査が始まる。

短編小説ですがゾクゾクする秀逸な味わいは、**スタンリイ・エリン**のデビュー作『**特別料理**』。これだけでなくエリンの短編はどれも独特でおもしろい。

比較的新しいところだと、**ダイアン・デヴィットソン**の『**クッキング・ママは名探偵**』シリーズ。素人探偵**ゴルディ**による推理ですが、登場する料理レシピが受けました。

ピーター・キング『**グルメ探偵、特別料理を盗む**』、料理専門探偵が殺人事件に巻き込まれて……。

日本だと**北森鴻**『**メイン・ディッシュ**』、劇団女優のネコと同居人ミケが醸し出す料理と名推理、48歳で亡くなられた北森さん極上のグルメミステリーでした。

芦原すなお『**ミミズクとオリーブ**』に登場するのは香川の郷土料理。料理上手の奥さんが持ち込まれる事件を、安楽椅子探偵よろしく解いていきます。

近藤史恵『**タルト・タタンの夢**』など**ビストロ・パ・マルシリーズ**。ちなみに近藤さんはこの料理ものシリーズだけでなく、女清掃人探偵キリコシリーズなど、独自の専門性を活かしたミステリーを書かれています。

時代小説ですが、グルメミステリーともいえる**高田郁**の『**みをつくし料理帖**』シリーズ。何度も映像化されていますが、上方流と江戸流の料理の違いを、人情をからめて描いています。

料理にまつわる時代小説はたくさん書かれています。

ついでで申し訳ありませんが、私も『**時雨茶漬・武士の料理帖**』という掌編小説集を出しています。料理は人間ドラマを集約させる効果があって、味わいが増します。

専門といっても、扱う料理であったり料理人に特別に取材をしなければ書けない、という世界でもありません。もちろん、特定の料理に関しては、一応文献を調べたり、実際に作ってみたりしましたが。

ポイントは料理（おいしさ、味覚とか）を文章でどう表現できるかだったりします。チャレンジしてみて下さい。

歴史・時代にもいろいろとあるよ

専門的な知識なりが必要というと、まさにこの「**歴史・時代ミステリー**」というジャンルこそ、それなりの知識なり裏付けが必要なジャンルといえます。本屋さんに行くと「時代小説」の棚があって、まさに一大分野となっていることがわかります。それだけ書き手がいて、読む人もたくさんいるという証でしょう。

このコーナーもちろん、ミステリーばかりでなく、いわゆる「歴史もの」や「（歴史）人物もの」などがあって、「**時代小説**」は大きなくくりとなっていたりします。

これらも卑弥呼の昔から、奈良時代や平安時代といった「古代史もの」「王朝もの」から、室町以降の戦国ものがあって、江戸時代、さらに幕末維新となって、近年は明治や大正も時代ものの範疇に入りつつあるようです。

昭和以降は一応、時代もののカテゴライズには入っていませんが、そろそろ昭和もノスタルジー色が強まってきて、時代ものとされるかもしれませんが。

ともあれ、こうした時代ごとの分け方がまずあって、人気なのはやはり壮絶な戦いが繰り広げられる戦国、そして独特な文化を築いて、ドラマや映画で一般庶民が親しんでいる江戸、そしてやはり激動の時代であった幕末明治だったりします。

ちなみに「**歴史小説**」といった場合は、日本史のさまざまな出来事、事件、人物などを題材にして、その歴史に即したうえで、検証したり、歴史上の人物を描いたりする場合を指します。

「時代もの」はそうした範疇をもう少し広くして、（その時代性を背景としつつも）架空の事件や、人物などを登場させたり、歴史上の人物であったとしても、フィクション性を加味して描いたりする小説です。ただ、この両者の区別もはっきりしているわけではありません。

「時代もの（小説）」が広いカテゴライズですが、これもいくつか細分化されます。例えば、主人公が侍で、いわゆるチャンバラ（剣劇）がメインになると「**剣豪もの**」「**武家もの**」（こちらは権力闘争とか、侍社会だったりする場合も）となりますし、江戸庶民の人情や生き方だと「**市井もの**」というように。

歴史はミステリーが満載

さらにミステリー要素が入ると「**時代ミステリー**」となるのですが、これもじつはアプローチの仕方で違いがあります。大きく分けると二つあります。

レッスン5の「名探偵の作り方」で述べましたが、日本の名探偵の嚆矢が**岡本綺堂**の『**半七捕物帳**』。

ここから「**捕物帳**」というジャンルが生まれたわけですが、岡っ引や同心といった江戸時代の捜査のプロが、さまざまな事件を解くスタイルが代表的です。通常のミステリーの造りですが、時代が現代ではない昔で、その条件下で探偵役が謎を解いていく。探偵をまったくの架空の人物とする場合や、実在の人物を設定する場合もあります。

もうひとつのアプローチとして、いわゆる**歴史の謎**を、独自の解析をしたりする時代ミステリーもあります。

歴史上に謎とされている事件があります。代表的なものですと、織田信長が死んだ本能寺の変（明智光秀はなぜ？　黒幕は？　真相は？）、写楽は誰だ（正体は誰？　どうして一年で消えた？）、坂本竜馬暗殺の真犯人は？

例えば、この中の謎の絵師「写楽」はいろいろな人が小説にしています。**高橋克彦**さんのデビュー作となった江戸川乱歩賞受賞作『**写楽殺人事件**』（１９８３年）。写楽の正体を探るというだけでなく、その研究を行なっている現在でも殺人事件が起きて、という二重構造になっています。

こうした歴史の謎をからめて、現在でも事件が起きて平行してというスタイルは、乱歩賞をこの3年前に受賞した**井沢元彦**さんの『**猿丸幻視行**』で使われていました。百人一首の中にある猿丸太夫の歌と、柿本人麻呂がいろは歌に秘めた暗号解読と、昭和の現実で殺人事件がクロスしていく。探偵役は民俗学者の巨頭**折口信夫**。

こうした「時代（歴史）ミステリー」は、それよりも前に**高木彬光**が生み出した名探偵の**神津恭介**が、源義経とジンギスカンが同一人物かを推理する『**成吉思汗の秘密**』が思い出されます。

松本清張もフィクション、ノンフィクションのカタチをとりながら、日本の歴史をさまざまに考察しています。一作を挙げると、『**火の路**』は日本に七世紀からペルシャ人（とゾロアスター教）が渡来していたという説をめぐり、現代から解いてみせた力作です。

歴史を描くには知識が必要

そもそも歴史というのは、記録されたり、伝えられてきた史実というのがあるのですが、それが100％正しいという保証はありません。

前記の写楽は？　坂本竜馬暗殺犯は？　といった謎だけでなく、こうだったと伝えられている史実も、もしこうだったら？　といったifで考え直すだけで、いくらでも「謎」を作ることができます。

つまり歴史の中には、「謎」という「宝の山」（素材、テーマ）が無尽蔵なわけです。

それだけに「歴史・時代ミステリー」は、誰でもが入っていける大きな池（ジャンル）ということも言えます。ただし、ここに飛び込むにはそれなりの勉強、あるいは素養（なり知識）が必要となります。

前述した取材に関する質問同様に多いのが（時代劇を書くために）「どのくらい考証とか必要ですか？」とか「どこから入ればいいですか？」「どうやって調べるのですか？」という問いです。

取材、資料集めについての答えと同じでもあるのですが、その前に必要不可欠な前提があります。宮部みゆきさんが、どうして時代ものも書けるのか、について述べたところを読んで下さい（166頁）。宮部さんは子どもの頃から時代劇のドラマ、映画、小説に親しんでいて、素養となっていたからです。

ですので、これから時代もの（ミステリー全般も同様ですが）を書こうとするならば、まずはたくさんの作品に浸りましょう。なにより歴史やミステリーが好きになること。義務で勉強しようとしても続きません。物語を通して歴史が書き手の血となれば、それが素養（知識）となります。

先人の作家先生たちが残してくれた作品は、新しい書き手にとっても財産です。たくさん読んでいたら、例えば時間の数え方の〝一刻〟がどのくらいなのか、といったことが自然とわかってくるようになります。それがつまり素養です。

ただ、時代物は特に書いていてわからないことが、常に出てきますので、その度に時代考証に関する資料や教則本などを調べる。一度調べたうえで書いたことも素養になるわけです。

その積み重ねで、知識となれば時代考証的なことは調べなくても書けるようになっていきます。

もちろん、それでも歴史上の新しいことについて書こうとする場合、作家は徹底的に資料を集めたり、古を訪ねてそれこそ取材をします。調べることで書くべき新しい材料や、見解を発見できるからです。

こうしたアプローチがつまり、上記の質問の答えになります。

ついでですが、拙著『**時代劇でござる**』（春陽堂書店）をぜひ。時代劇を書くためや、親しむ際に知っておくべき最低限の常識とかを、楽しく読みながら学べるガイド本です。

史実の裂け目を見つける方法

ともあれ、そういうふうに時代劇に触れて、そこから書きたいと思える歴史的な出来事や人物が見つかったら、それに関する資料を集めます。さらには誰かが過去に作品にしていたりしていたら、どう扱っているかをなるべく探して読んでおく。

当たり前ですが、その書き手とは違う切り方なり、方向性を打ち出す。あるいはプラスアルファの何かを加えるようにします。

歴史に関する資料は必ず見つかります。これも取材と同じなのですが、歴史は関連資料に当たりつつ、それを踏まえながら、疑問を抱いたり、裏を考える、上記のｉｆとなる何か（キー）が見つかれば、突破口が開けます。

ところでそれがポピュラーな歴史や人物であればあるほど、当然ながら先人の作品が増えます。いくら好きでも、新作として世に問うには、いかに新しい何かを打ち出せるか？

例えば、歴史もので描かれている人物の一位に挙がりそうなのは、織田信長でしょう。信長を書こうとすると大変です。

でもこういう例もあります。２０１８年に鬼籍に入られたのですが、２００５年に75歳で作家デビューを果たした**加藤廣**さんが書き、ベストセラーとなった歴史小説は**『信長の棺』**でした。

歴史書の「信長公記」の著者で、信長の家臣だった太田牛一を視点者として、本能寺の変で死んだ信長の遺体はどこに消えたのだ？という謎に迫っていく物語です。こうした切り口で、信長や本能寺を描いた小説はありませんでした。

この項目は長くなりましたが、トラベルミステリーや医療もの、グルメミステリー、そして時代物といったそれぞれの分野、専門世界が書けると、その作家ならではという武器になります。

さらには広くミステリーも同様です。それぞれの分野を手がける作家は誰もが、こうしたアプローチで臨んでいるのです。

LESSON 17

もろもろ、ミステリーについて知っておくべきこと。まとめです

冒険ミステリーの名作たち

ジャンルをあれこれと解説、分析などをしてきました。

前にも述べましたが、ジャンルはどんどん細分化しますし、組み合わせによって無限に拡がります。

レッスン1や2で大まかなジャンル分けについて述べましたが、この分類で漏れたジャンルについて簡単にフォローしておきます。

まず、⑥**冒険もの（アクション）**［**レッスン2の分類6**］。

これはその前の⑤のハードボイルドなどと重なっていたりしますが、要は主人公がひたすら命を賭けて戦う。相手は巨悪だったり、権力だったりすることもあれば、山岳ミステリーだと山、スパイアクションならば敵国、ケイパー（強奪）ものなら襲う相手とか金庫（守る側）と、銃撃戦になったり、格闘技で戦う物語。

基本は肉体を駆使しますが、頭脳プレーだったり、カーアクションとかも。

とにかく、小説ならばいかに文章でアクションをテンポよく描けるか？　コメディテイストで描くか、ダークカラーで通すか？　といったタッチの問題は作者の資質や好みで選択するとして、ミステリー要素を加える場合、ある特殊な専門や世界に着目して描く場合もあります。

冒険小説、ミステリーとして読んでおくべき作品をいくつか挙げておくと、海洋小説であげた**アステリア・マクリーン**の『**ナバロンの要塞**』（戦争ものでもあります）。**トム・クランシー**の『**いま、そこにある危機**』など**ジャック・アイラン**シリーズ。**ステーヴィ**

ン・ハンターの『**極大射程**』などボブ・リー・スワガーシリーズ。キャビン・ライアン『**深夜プラス１**』。ジャック・ヒギンズ『**鷲は舞い降りた**』（これも戦争）。ルシアン・ネイハム『**シャドー81**』。A・J・クイネル『**燃える男**』。J・C・ポロック『**樹海戦線**』などなど。

日本も負けていなくて、**北方謙三**『**逃れの街**』、**船戸与一**『**山猫の夏**』、**志水辰夫**『**行ずりの街**』、**逢坂剛**『**カディスの赤い星**』、**佐々木譲**『**エトロフ発緊急電**』、**馳星周**『**不夜城**』、**福井晴敏**『**亡国のイージス**』などなど、読み始めると、最後まで一気読みできるおもしろさです。

冒険小説を書こうと思うなら必読ですよ。

社会の闇に切り込め

もうひとつ述べていなかったジャンルは⑪「**社会派ミステリー**」。

これも当然のように多くが他ジャンルと被っています。定義としては、要するに現実に起きている何らかの社会的な問題、社会性が背景にある。あるいは社会問題化していることを、主人公（ジャーナリストや新聞記者といったプロフェッショナルだったり、一般市民が告発というケースもある）が立ち向かう物語。

そうした硬派な小説などは、日本でも戦前からありました。当然、そうした作家は国家から弾圧されたりした歴史があります。

ミステリーの場合は、いわゆる「社会派推理小説」と称され、認知されるようになったのは、１９６０年代、レッスン2や12で述べた**松本清張**です。

例えば、清張の名前を一躍ポピュラーにした『**点と線**』は、時刻表トリックが着目されますが、その犯罪の要因は官僚による汚職事件の隠蔽でした。

同じく『**眼の壁**』は、レッスン11のコンゲーム、詐欺師ものでもあるのですが、手形詐欺で被害者になってしまう中小企業の悲劇が描かれていました。

あるいは『**黒い福音**』は、実際に起きた外国人神父によるスチュワーデス（当時の呼称）殺人事件について、日本の置かれた問題を告発しつつ、事件の謎にせまった社会派ミステリー。

『小説帝銀事件』も戦後まもなくに起きた事件に、独自の解釈で肉薄したノンフィクション的な小説でした。

こうした社会性を色濃く漂わせた小説を次々と世に問うたことから、松本清張と社会派推理小説というジャンルが確立されました。

その後も**水上勉**の**『海の牙』**や**『飢餓海峡』**、さらにはミステリーというジャンルではくくれないのですが、**山崎豊子**の**『白い巨塔』**や**『華麗なる一族』**といった作品も、その時代の医療や政治、政界を背景として、のし上がろうとする人物たちの姿を活写した作品を書き、社会派作家の地位を不動にしました。

社会性は常に背景となる

こうしたバリバリの社会派はともかく、小説は多かれ少なかれその時代の社会性が反映されています。**宮部みゆき**の**『火車』**も、カードローンに翻弄される現代人の悲劇が事件そのものの要因となっていました。

あるいは**高村薫『レディ・ジョーカー』**は、時代を震撼させたグリコ・森永事件に想を得て、戦後日本が抱えていたさまざまな問題を浮き彫りにしていました。**真山仁『ハゲタカ』**は、バブル経済破綻後の日本を舞台にしたいわゆるハゲタカファンドの物語。

こうした小説も社会派ミステリーと冠がついたりします。要は何らかの社会的な問題なり現実の影が背景だったり、犯罪の要因になっていたりする。実際に起きた事件をベースにフィクションを交えて切り込む。冤罪事件を取りあげて、濡れ衣をいかに晴らすか？といった軸と、司法制度や捜査手法、死刑制度などの問題点をさらけだす。

さらには、テイストとしてはライトではなく、どちらかというとシリアス、重く描くことが共通項といえるようです。

もちろん、正面からの社会派ミステリー、例えばアメリカ映画ならば、古くはウォーターゲート事件を描いた**『大統領の陰謀』**や、近年の**『ザ・シークレットマン』**、放送局でのセクハラを告発した**『スキャンダル』**というように。

また、邦画ではこうした正統派社会派ミステリーの影が薄くなっていた中、２０１９年に公開された**『新**

聞記者』は、政権の闇を暴こうと奮闘する新聞記者の物語として、高い評価を得ました。

社会派ミステリーを描く際は、当然ながら書き手が覚悟を据えることが求められます。他のジャンルなら、そんな大げさなものはなくていいという意味ではありませんが、社会の問題を告発するという意識を固めて、足場を据えて向かう。**充分な取材**、**調査**が必要となりますし、主人公はもちろん、作者の強い思い、**揺るがない精神性が不可欠**になるでしょう。

そうした強さこそが作品自体の完成度、読み応えとなるはず。そこにエンターテインメント性を加えられれば盤石です。

犯人側から描く〝倒叙ミステリー〟

ジャンルのそれぞれから離れて、ミステリーの手法や設定からの分類、アプローチ法についてまとめておきます。

これもレッスン2で軽く触れましたが、もう少し詳しく。

まず「**倒叙ミステリー**」について。

「倒叙」の意味は、〝物事の時間的流れと逆の順序で叙述すること。また推理小説の手法で、犯人の側から叙述すること。〟(岩波国語辞典)

「倒叙ミステリー」の元祖は、1912年に**オースチン・フリーマン**が書いた**『唄う白骨』**という短編とされていて、犯人の側からの周到な犯罪計画の過程を描いて、その犯行が発覚してしまうおもしろさを描きました。

その20年後に**フランシス・アイルズ**の**『殺意』**が出て、**リチャード・ハル『叔母殺し』**、そして**F・W・クロフツ**の名作**『クロイドン発十二時三十分』**と続き、三大倒叙ミステリーとして位置づけられ、推理小説の一ジャンルとして定着しました。

前述しましたが、一番わかりやすいのがテレビドラマシリーズとして人気を博した**『刑事コロンボ』**。

毎回、冒頭で犯人(セレブな階級のインテリや功成り名を遂げた人物)が、完璧に組み立てたと思われる殺人計画を実行する(稀に突発的に起きてしまうケースもある)。

その後にロサンゼルス警察の刑事コロンボが登場し、捜査を始める。コロンボは真犯人に目星をつけて、完璧と思われた計画の些細なミスや不自然な点を見つけて、じわじわと追い詰めていく。

ところで、上記の「冒険もの」に対して、肉体よりも心、精神で追い詰めていくミステリーが「**心理サスペンス**」ですが、『刑事コロンボ』はこちらのジャンルの代表とも言えます。

ついでに述べておくと、レッスン12や13で取りあげた「サスペンス」や、「ファムファタール（悪女）」「サイコサスペンス」ものの多くは、この「心理サスペンス」だったりします。**いかに心理的に、主人公や復讐相手とかを追い詰めていくか**？　このジワジワ感が決め手になります。

倒叙と本格推理の流れは同じ?

レッスン4で、本格推理ものの基本的な流れを述べました。もう一度、出しておきます。（こちらをAとします）

パターンA

1　不可解な事件が起きる
▼
2　これと関わる主人公（探偵役）登場
▼
3　事件の詳細（散逸する手がかりを示す）
▼
4　解明の障害・謎が立ち塞がる
▼
5　解決の決定打
▼
6　意外な犯人、真相が明らかになる

これに対して、倒叙ミステリー、すなわち犯人側からの基本的な流れ（こちらはB）を書くと、

パターンB

1　ある人物（真犯人）が、誰かを殺そうと思う。動機、事情、人物関係などを詰める（あるいは、偶発的に殺してしまう）（違う動機の容疑者を仕込むことも）

2　計画を練る（偽装工作をする）↑トリックを作る

3　実行に移す（計画通りに行かない or 突発事項が起きる）

4　さらなる工作を加える（もしくは誰かを巻き込む、加えてしまう）

5　事件が発覚する（↑ここからAの①となる）

6　探偵役が真犯人の逆を辿る（↑真犯人に迫る）

7　探偵と容疑者たちとのバトル、さらなる事件（第2、3の犯行など）

8　真相解明、決着

倒叙の場合に限らず、パターンAの探偵側から描くにしても、真犯人側の動機や犯罪計画、どのように実行されたか、ということを、あらかじめ綿密につくっておきます。

こうした犯罪計画をどの段階から描くか？　どちら側からの視点で描くかで、違ってくるわけです。

似てるけど違う〝叙述トリック〟

ついでに述べておくと、「倒叙」とよく似ていて混乱しがちですが、「**叙述トリック**」というミステリーの手法もあります。これはむしろ**作者が読者を騙すという手法**です。**読み手に先入観を抱かせて、ミスリードさせる。読者を意図的に間違った方向に導く。**

例えば、〝私〟という一人称で展開させて、この私は女だと思わせて、じつは男でしたというような。逆もあります。また、この〝私〟や〝僕〟が視点者で語っているのだけど、じつは犬とか猫だった、という描き方もあります。

あるいは章ごとに二つの場所で展開する物語があっ

て、同時進行と思わせて、じつは違う時代を交互に展開させていた。

その他にもいろいろな手法があります。作品を読んで、なるほどこんな手があるのか！　と騙されてみるのが一番でしょう。

この手の名作で真っ先に挙がるのはやはり**クリスティ**で、名作中の名作は『**アクロイド殺し**』。発表されてから「フェアかアンフェアか」で論争になったりしましたが、未読の方はとにかく読みましょう。

レッスン12でご紹介した**アイラ・レヴィン**の名作『**死の接吻**』も、3章からなる構成は叙述ミステリーでもあります。

海外というと『**その女アレックス**』が衝撃的におもしろかった**ピエール・ルメートル**の『**悲しみのイレーヌ**』は叙述トリックでした。

日本には名作が多くて、多くの作家が試みています。**横溝正史**の『**夜歩く**』。叙述ということもありますが、私は初めて読んだ時が真夜中で、心底怖かったという記憶があります。

赤川次郎の代表作でもある『**マリオネットの罠**』も、唸ってしまうプロットの見事さ。大御所というと**筒井康隆**『**ロートレック荘事件**』も叙述トリックの名作です。

そして日本で叙述トリックの第一人者といえば**折原一**、『**倒錯のロンド**』と『**異人たちの館**』は欠かせません。

ちなみに折原さんは、日本推理作家協会編著『ミステリーの書き方』で、

「影響を受けた作品は、まず**B・S・バリンジャー**の『**歯と爪**』と**フレッド・カサック**の『**殺人交叉点**』。今や叙述トリックの代表的な古典となっており、叙述トリックの基本を知りたい人にとっては必読ミステリーだ。簡潔なスタイルで、最後にそれまでの世界が百八十度反転するような驚愕の結末を持ってくるパターン。彼らはその重要なパイオニアである」

と書かれていて、これらの小説の構成について述べています。そうそうこの二作も叙述ミステリーの名作でした。

後は思い出すところだと、恋愛小説としての色づけもあって、こういう手もあったか！　と驚かせても

らったのは**歌野晶午『葉桜の頃に君を想うということ』**。**東野圭吾『仮面山荘殺人事件』**も叙述トリックが、大どんでんに使われていておもしろい。

叙述トリックでデビューということでは、**綾辻行人『十角館の殺人』**や、**貫井徳郎『慟哭』**、**殊能将之『ハサミ男』**など。

あるいは途中の描写のエグさもスゴイけど、叙述トリックとしても白眉なのは**我孫子武丸『殺戮にいたる病』**。

これらを読むと、ミステリーは特に、いかにプロットを練り込むか、記述の方法にしても考え抜いて書くべきか、ということが理解できるはずです。

ミステリーの歴史はトリック？

ところで、ミステリーに欠かせないこの「**トリック**」ですが、これもいろいろと考え方、使い方で違います。改めて確認しておきましょう。

そもそもの意味は、「トリック【trick】①詭計。奸策。ごまかし。たくらみ。「―を見破る」②トリック撮影の略」（広辞苑）です。

ただミステリーのトリックとなると、これを挙げていると収拾が付きません。ミステリー小説の歴史は、ミステリー作家がさまざまなトリックを生み出して、成立させてきた歴史でもあるからです。

上記の「叙述トリック」は、作家が書き方によって読者を欺くトリックですが、そもそもからある代表的なトリックをあげると、

1. **物理トリック**
2. **心理トリック**
3. **アリバイトリック**
4. **密室トリック**
5. **一人二役トリック**
6. **死体損壊（転換）トリック**
7. **叙述トリック**

などなど。簡単に解説すると、1の物理トリックは、装置とか器具とかを使って、犯行現場を密室にしたり、アリバイを作ったり、凶器を隠したりといった方法で

真犯人が工作する。

2の心理トリックは（これは叙述とも繋がりますが）、物語の中の登場人物にも何らかの錯覚を与えたり、思い込ませたりする。

3のアリバイトリックは、上記の物理的なモノを使ったり（電話とか録音機とか）、替え玉を使ったりして、犯行時間を狂わせたりする。犯行現場の犯行時間に真犯人がそこにいない、という状況を作ってしまう。

4の密室トリックは、もうこれだけでひとつのミステリーの歴史ですね。さまざまな密室で殺人が起きて、さあどうして？　というもの。

5はその字の通り。犯人が別人を演じる。被害者に扮することも。

6は死体に何らかの手を加えて、違う方向に導こうとする。バラバラにしたり、焼死体で身元を隠すとか。別名「顔のない死体」という言い方もあるくらい。

7はもう書きました。

これ以外にも、トラベルミステリーで書いた「**時刻表トリック**」とかもありますが、これはアリバイトリックのひとつとされています。

「トリック」の種は尽きたのか？

さて、ミステリーの数ほどに種類、手法のあるトリックですが、これから書こうとされる初心者は、これらをどのくらい精通しておくべきか？

もちろん、最低限の代表的なトリックが出てくる名作には触れておくべきでしょう。知らずに自作に「画期的なトリックを思いついた！」と書いたとしても、同型、類型は山ほど出てきます。

その中の密室トリックなんて、出尽くしたとさえ言われています。じゃあもう書けないかというと、そうでもなく、プラスアルファの何かを加える、アレンジすることで違うカタチにする、といったアプローチ法はあります。

ただ、それにしても元を知っていないと、アレンジはできませんね。

これに対して上記の日本推理作家協会編著『ミステリーの書き方』（ちなみに出版された時が２０１０

年）の「トリックの仕掛け方」という章で**綾辻行人**さんが次のように語っています。

ここ十年、二十年の日本の本格とそれ以前の本格とは、トリックというものをどんなレベルで捉えるか、その認識がずいぶん変化したようにも思います。ずっと昔だったら、「密室トリック」「アリバイトリック」「一人二役トリック」みたいな分類がわりと容易で、トリックといえばまず、作中で犯人が犯罪のために用いる仕掛けのことを指していたわけですけど、最近ではいよいよ、作者が読者に対してどう仕掛けるかというほうに重きが置かれるようになっている。

綾辻さんのコメントにある作者が読者に、という**代表が「叙述トリック」**ですが、これもその一部で、それらも含めて、幾重ものトリックを仕掛けて成立するようになっていると。

ともあれ、綾辻さんも「トリックだけを単体で取り出して論じるのって、実はナンセンスな話なんです」と述べています。

つまり、ミステリーを書こうとする際に、新しいトリックを入れないといけない、なんて考えていたら先に進めません。要は物語としておもしろく作れるか？ということこそを優先させるべきだと。

その過程で、ミステリー要素としてのトリックが必要ならば、それをつくりながらも、過去作に似たものが使われていないかを調べてみる。

明らかに同じだったら、どうアレンジすれば違うものにできるかと考えます。

必携『ミステリ百科事典』

ちなみに、綾辻さんのこの章でも挙げられていますが、**間羊太郎『ミステリ百科事典』**（文春文庫）という本があります。文庫本の裏の案内を引用すると、

眼、首、時計、人形、手紙……等々、ミステリやホラーで好んで用いられるモチーフ、トリックを、古今東西の名作、奇作から映画、落語に至るまで渉猟し、整理、解説した名著。北村薫、宮部みゆき両

氏も絶賛の本書は、愛好家や作家志望者の方はもちろん、手軽にミステリの蘊蓄を披露したい人にもお勧め

冒頭に北村さんと宮部さんの対談が載っているのですが、宮部さんいわく「ミステリ作家になりたいという方は必読です。この本を読んでミステリ作家になった人の率は非常に高い」と。

北村さんは「大谷羊太郎先生がお書きになっていましたが、自分はあまりトリックを知らないから、よく知られているトリックをそうと知らずに書いて投稿して、それはもう使われているよ、となったら困るので、『ミステリ百科事典』の連載を読んで研究して、デビューに成功したと」

ということで、「これからミステリを書こうという人は、この本でトリックなどをチェックしていただきたい」と推薦しています。

どう書かれているかを一部だけご紹介すると、例えば「指」の項目は、文庫本で9ページにわたって引用を含めて書かれています。書き出しは、

指　ミステリーに出てくる指というと、その殆どが、三本指とか四本指、又は切り落とされた指、といった具合に、〈指の切断〉とか〈切断された指〉という使い方でしか出てこない。まずは、〈指の足りない手〉の効用から。

横溝正史の代表作といえば、何といっても『本陣殺人事件』だろう。

というところから、以下『**本陣殺人事件**』に登場する「三本指の男」に関しての考察が続き、その流れで**エズアルド・エンゲル**『**四本指の手**』の引用から、**甲賀三郎**の『**妖魔の哄笑**』にも四本指の男の紹介と続き、さらに**小沼丹**『**犬**』のわざと四本に思わせるトリックの紹介。

そして、指の切断の話となって、江戸時代の遊女の風習の考察から、**山田風太郎**『**女人国伝奇**』にそれが出てくるという引用というように、さまざまな作品の用例をガイドしてくれます。

ともあれ、大変な労作で、ミステリーに限らずに、

どんなジャンルの小説を書こうとしても、関連する項目を読むだけでいくつものヒントが発見できますし、エッセイ、読み物としてもおもしろく読めます。

ということで、このレッスン17で、ひとまず私なりの『ミステリーの書き方』の講義を終了します。

先人が築いてきたミステリー小説や映画の山脈は、今もなお悠々茫々と続いています。とても全貌を明らかにすることはできませんが、いつくかの山の嶺やさわりを私なりの解説、分析をしてみました。

これからミステリーを書いてみたい、まずはポイントを学んでおきたいという方の参考になれば幸いです。

【参考文献】

『東西ミステリーベスト100』文藝春秋編（週刊文春臨時増刊）
『ミステリーサスペンス洋画ベスト150』文藝春秋編（文春文庫）
『ミステリ百科事典』間羊太郎（文春文庫）
『別冊宝島63・ミステリーの友』（JICC出版局）
『ミステリBEST100ジャンルBEST10』ミッキー・フリードマン編（ジャパン・ミックス）
『映画小事典』田山力哉（ダヴィット社）
『ミステリー・サスペンス映画の愉悦』シネマハウス（星雲社）
『ミステリーの書き方』日本推理作家協会編著（幻冬舎）
『映画術　ヒッチコック／トリュフォー』（晶文社）
『推理小説作法』土屋隆夫（光文社）
『ミステリの書き方』H・R・F・キーティング（早川書房）
『ミステリの書き方12講』野崎六助（青弓社）
『松本清張　時代の闇を見つめた作家』権田萬治（文藝春秋）
『ミステリ・ハンドブック』早川書房編集部編（ハヤカワ文庫）
『ミステリーで読む戦後史』古橋信孝（平凡社新書）
『犯罪捜査大百科』長谷川公之（映人社）
『L文学完全読本』斎藤美奈子編／著（マガジンハウス）

※順不同

著者……柏田道夫（かしわだ・みちお）
青山学院大学文学部卒。脚本家、小説家、劇作家、シナリオ・センター講師。95年、歴史群像大賞を『桃鬼城伝奇』にて受賞（2020年3月『桃鬼城奇譚』と改題し双葉文庫より刊行）。同年、オール讀物推理小説新人賞を『二万三千日の幽霊』にて受賞。映画脚本に『GOTH』『武士の家計簿』『武士の献立』『二宮金次郎』『島守の塔』（2022年公開予定）、テレビ脚本に『大江戸事件帖　美味でそうろう』、戯曲作品に『風花帖　小倉藩白黒騒動』『川中美幸特別講演　フジヤマ「夢の湯」物語』など、著書に『しぐれ茶漬　武士の料理帖』『面影橋まで』（光文社時代小説文庫）『猫でござる』①②③（双葉文庫）『矢立屋新平太版木帳』『つむじ風お駒事件帖』（徳間時代文庫）『時代劇でござる』（春陽堂書店）『シナリオの書き方』『ドラマ別冊・エンタテイメントの書き方』①②③『企画の立て方　改訂版』（映人社）『小説とシナリオをものにする本』『小説・シナリオ二刀流奥義』（言視舎）など。
シナリオ・センター　http://www.scenario.co.jp

装丁………山田英春
DTP組版………REN
編集協力……田中はるか

[シナリオ教室] シリーズ
ミステリーの書き方
シナリオから小説まで、いきなりコツがつかめる17のレッスン

発行日❖2021年2月28日　初版第1刷

著者
柏田道夫

発行者
杉山尚次

発行所
株式会社言視舎
東京都千代田区富士見2-2-2 〒102-0071
電話 03-3234-5997　FAX 03-3234-5957
https://www.s-pn.jp/

印刷・製本
モリモト印刷㈱

ISBN978-4-86565-103-4 C0374